Clarividência

C. W. LEADBEATER

Clarividência

Tradução de Fernando Pessoa

Edição original de
The Theosophical Publishing House
Adyar, Chennai, Índia

Direitos Reservados à
EDITORA TEOSÓFICA
SIG Quadra 6, Nº 1235
70.610-460 – Brasília-DF – Brasil
Tel.: (61) 3322-7843
E-mail: editorateosofica@editorateosofica.com.br
comercial@editorateosofica.com.br
Site: www.editorateosofica.com.br
Instagram: @editorateosófica

L 434	Leadbeater, C. W.
	Clarividência / C. W. Leadbeater: Tradução, Fernando Pessoa – 3. ed. Editora Teosófica, Brasília, 2024
	Tradução de: Clairvoyance ISBN 978-85-7922-096-8
	1. Clarividência 2. Teosofia II.Título
	CDU 141.332

Revisão: Maria Coeli Perdigão e Zeneida Cereja da Silva
Diagramação: Reginaldo Mesquita – Fone: (61) 3341-3272
Capa: Herbert Gonçalves
Impressão: Gráfika Papel e Cores
comercial@grafikapapelecores.com.br

Sumário

Prefácio 07
Capítulo 1
    O que é a clarividência 11
Capítulo 2
    Clarividência simples: Completa 31
Capítulo 3
    Clarividência simples: Parcial 49
Capítulo 4
    Clarividência no espaço: Intencional 55
Capítulo 5
    Clarividência no espaço: Semi-intencional 77
Capítulo 6
    Clarividência no espaço: Não intencional 81
Capítulo 7
    Clarividência no tempo: O Passado 91
Capítulo 8
    Clarividência no tempo: O futuro 121
Capítulo 9
    Métodos de desenvolvimento 149
Posfácio: Evidências da Clarividência na Química Oculta 159
Apêndice: Crédito à Clarividência 169

Prefácio

Charles Webster Leadbeater (Londres, 1847 – Perth, 1934) foi um dos maiores clarividentes do Século XX, particularmente pelas evidências apresentadas dentro de uma linguagem científica, conforme está desenvolvido no Posfácio desta obra, através da publicação de seu livro *Química Oculta*, em 1908, em coautoria com a Dra. Annie Besant.

Devido a essa faculdade paranormal extraordinariamente desenvolvida pelo autor, o livro *Clarividência*, publicado originalmente em 1899, é um clássico difícil de superar e uma referência para todos os interessados no tema. Foi redigido com a simplicidade didática característica de Leadbeater, sendo por ele dividido segundo a capacidade da visão empregada em três classes principais, a saber: a Clarividência simples (a mera expansão da visão ao que ocorra estar ao redor do vidente), a clarividência no espaço (o poder de projetar a visão em direção a cenas ou acontecimentos afastados do vidente no espaço) e a clarividência no tempo (o poder de ver o passado e futuro), bem como seus métodos de desenvolvimento e seu domínio (se é intencional, semi-intencional ou não intencional).

Tais temas suscitam também a investigação sobre as questões fundamentais da predestinação e do livre-arbítrio, e o próprio sentido da vida em evolução, pois Leadbeater não considerava a clarividência como um fim em si mesmo, mas como um meio de auxílio altruísta, bem como de pesquisa e evidência da Sabedoria Divina ou Teosofia, que ele pretende resumir em três grandes verdades básicas em seu artigo *A Atitude Teosófica*: "que (a) Deus é bom, (b) o homem é imortal, e (c) o que ele semear, isso também ele colherá. (...) Para o estudante mediano, essa certeza chega somente como resultado da convicção intelectual de que deve ser assim – que a evidência a favor dela é mais forte do que a oferecida contra ela."[1] Sobre a prova ou evidência a favor dessas verdades espirituais, ele afirma que "existe, e existe em quantidade esmagadora; porém como muito dela depende de evidência clarividente, o homem que desejar examiná-la terá de satisfazer-se considerando a possibilidade da clarividência existir."[2]

O mais recente reconhecimento da comunidade científica à clarividência, talvez o maior de todos os tempos, além da publicação de vários livros a respeito por outros cientistas, como foi devidamente citado no Posfácio, foi o artigo[3] do Dr. Jeff Hughes da Universidade de Manchester na revista científica *Physics World* publicado em setembro de 2003 sobre a obra *Química Oculta* supramencionada, de autoria do Bispo + C.W. Leadbeater e da Dra. Annie Besant. Talvez o ideal fosse publicá-lo na íntegra como Apêndice, mas devido à sua extensão e linguagem técnica, bem como sua disponibilidade na Internet[4] para os mais interessados inclusive em contextos históricos e biográficos[5], optou-se por publicar nesta edição como Apêndice apenas algumas de suas citações escolhidas e comentadas pela Presidente Internacional da Sociedade Teosófica (ST),

---

[1] LEADBEATER, C.W. A Atitude Teosófica. *TheoSophia*, Brasília, *91*: 3-14. Out.-dez. 2002. [Sociedade Teosófica no Brasil] pp. 7-12.
[2] *Ibidem*, p. 10.
[3] HUGHES, Jeff. Occultism and the atom: the curious story of isotopes. *Physics World*, Bristol, UK, pp. 31-35, Sep. 2003. [ISSN: 0953-8585]
[4] Disponível diretamente em: www.cwlworld.info/pw_article_sept03.pdf ou no site www.cwlworld.info, onde também é acessível nos subtítulos *Work for the Theosophical Society*, subcapítulo *Re-writing history: Occult Chemistry and the Nobel Prize for Chemistry, 1922.*
[5] Graças ao trabalho do Bispo + Pedro R.M. Oliveira são também coletados com acuidade científica e preservados, no site www.cwlworld.info, fotos e elementos biográficos do Bispo + C.W. Leadbeater quanto a sua obra e vida de dedicação à Sociedade Teosófica e à Igreja Católica Liberal.

Dra. Radha Burnier em seu artigo *Credito à Clarividência*, que também pareceu necessitar uma introdução e contexto histórico. Para tanto, acrescentou-se antes outro artigo intitulado *Evidências da Clarividência na Química Oculta*, de minha autoria, que apresenta um brevíssimo resumo da obra *Química Oculta* de pesquisa clarividente publicada em 1908, e das extraordinárias antecipações que assim fez em diversas descobertas científicas, particularmente do metaneon (1913), dos isótopos do hidrogênio (1932-1934) e dos quarks (1963).

Diversamente da mera imparcialidade científica, porém, o pleno desenvolvimento da clarividência depende do despertar do poder do fogo serpentino ou *kundalini* e envolve uma questão moral, como afirma Leadbeater em *Os Chakras*: "manejá-lo sem compreendê-lo é muito mais perigoso do que uma criança brincar com dinamite. Com razão diz desta energia um livro hindu: 'Liberta o iogue e escraviza o insensato.'"[6][7]Também costumava citar *Aos Pés do Mestre*: "Não desejes os poderes psíquicos; eles virão quando o Mestre entender ser melhor para ti possuí-los. Forçá-los muito cedo traz em seu treinamento, frequentemente, muitas perturbações; e seu possuidor muitas vezes é desorientado por enganosos espíritos da Natureza, ou torna-se vaidoso e julga-se isento de cometer erros; em qualquer caso, o tempo e a energia despendidos em adquiri-los poderiam ser utilizados em trabalho para os outros. Eles virão no curso do teu desenvolvimento – eles *têm* de vir; e se o Mestre entender que seria útil para ti possuí-los mais cedo, Ele te ensinará como desenvolvê-los com segurança. Até então, estarás melhor sem eles."[8]

[6] *Hatha Yoga Pradipika*, III: 107.
[7] LEADBEATER, C.W. *Os Chakras*. São Paulo, Ed. Pensamento, 1974. p. 103.
[8] KRISHNAMURTI, J. *Aos Pés do Mestre*. Brasília, Ed. Teosófica, 1999. pp. 46-7.

Deve-se agradecer à belíssima tradução de Fernando Pessoa (Lisboa, 1888 – Lisboa, 1935), que muito enriquece esta edição, cujo estilo foi assim preservado, mas que necessitou de atualizações ortográficas e mui raramente de substituição de alguns termos para facilitar a compreensão na linguagem atual. O leitor interessado poderá encontrar referência do grande interesse do famoso poeta pela Teosofia no Prefácio intitulado *Fernando Pessoa – o Teósofo*[9], de autoria do saudoso Prof. Murillo Nunes de Azevedo, bem como no artigo *A Face Nem Tão Oculta de um Místico*[10], de autoria de João Alves das Neves, onde se mostra na obra de Fernando Pessoa a influência da Teosofia, dos ideais liberais da Maçonaria, e também da Astrologia, pois chegava a calcular e desenhar à mão o Mapa Astral de seus heterônimos.

Agradecimentos também são devidos particularmente à Dra. Radha Burnier, bem como a todos que de alguma forma contribuíram para esta inspiradora edição.

Brasília, 29 de agosto de 2013.

+ Ricardo Lindemann
Conselheiro Internacional da ST

---

[9] AZEVEDO, M.N. Fernando Pessoa – o Teósofo. In: BLAVATSKY, H. P. *A Voz do Silêncio*. Trad. Fernando Pessoa. Brasília, Ed. Teosófica, 2011. p. V – LXXII.
[10] NEVES, J.A. A Face Nem Tão Oculta de um Místico. *TheoSophia*, Brasília, *89*: 43-8. Jan.mar. 2000. [SociedadeTeosófica no Brasil]

Capítulo 1

O que é clarividência

Literalmente, clarividência quer dizer simplesmente "ver claro", e é uma palavra que tem sido muitas vezes mal empregada, e mesmo degradada ao ponto de a aplicarem para descrever as artimanhas de um charlatão num teatro de variedades. Mesmo no seu sentido mais restrito, abrange um grande número de fenômenos, tão divergentes nas suas características que não é fácil dar uma definição do termo que seja ao mesmo tempo concisa e justa. Tem sido chamada "visão espiritual", mas não se pode conceber tradução mais errônea, porque na grande maioria dos casos não está ligada a ela faculdade alguma que de longe mereça que a honrem com um nome tão elevado.

Para os fins deste tratado poderemos, talvez, defini-la como sendo o poder de ver o que está oculto à visão física normal. Será bom explicar, também, que ela é frequentemente (se bem que não sempre) acompanhada por aquilo a que se chama "clariaudição", ou seja, o poder de ouvir o que o ouvido físico normal não pode captar; consideraremos o termo, que constitui o título deste livro, extensivo também a esta faculdade, para que evitemos empregar constantemente duas palavras onde só uma é suficiente.

Antes de entrar propriamente no assunto, desejo esclarecer dois pontos. Em primeiro lugar, não destino estas páginas àqueles que não acreditem em que haja clarividência, nem busco convencer os que estejam em dúvida sobre o assunto. Em trabalho tão pequeno, não disponho de espaço para fazê-lo; esses indivíduos deverão estudar os inúmeros livros que registram listas desses casos, ou fazer, eles próprios, experiências seguindo uma orientação mesmeriana.

Escrevo para os que sabem que a clarividência existe, e que sentem pelo assunto um interesse suficiente e querem ser informados sobre os seus métodos e possibilidades; a esses asseguro que o aqui exposto é o resultado de muitos anos de estudo e de experimentação cuidadosa, e que, conquanto alguns dos poderes que descreverei lhes possam parecer novos e espantosos, não me refiro a nenhum de que eu mesmo não tenha visto exemplos.

Em segundo lugar, ainda que procure evitar, tanto quanto possível, o uso de uma linguagem técnica, permitir-me-ei de vez em quando, visto que estou escrevendo para estudiosos da Teosofia, usar, para ser breve e sem me demorar em explicações, a usual terminologia teosófica que posso seguramente supor que eles conheçam.

Se este livro for ter às mãos de alguém para quem o emprego ocasional desses termos constitua uma dificuldade, só posso pedir-lhe que me releve e citar, para que nela busque essas explicações preliminares, qualquer obra teosófica elementar, como, por exemplo, *A Sabedoria Antiga*[11] ou *O Homem e os seus Corpos* da Sra. Annie Beasant. A verdade é que o sistema teosófico é a tal ponto coerente, as suas partes componentes estão em tal interdependência, que dar uma explicação plena de cada termo empregado implicaria escrever um tratado completo de Teosofia como prefácio, mesmo a este breve estudo sobre clarividência.

Antes, porém, que se possa realmente tentar uma explicação detalhada da clarividência, será necessário que gastemos um tempo em algumas considerações preliminares, para que tenhamos presente nitidamente alguns fatos gerais sobre os diferentes planos em

---
[11] Editora Teosófica, Brasília, 1 ed., 1991. (N.E.)

que se pode exercer a visão clarividente, e as condições que tornam possível esse exercício.

Constantemente nos é garantido nos livros teosóficos que estas faculdades superiores brevemente terão de ser herança da humanidade em geral – que a capacidade clarividente, por exemplo, existe latentemente em cada indivíduo, e que aqueles em quem ela já se manifesta apenas estão, nesse sentido, um pouco mais avançados do que os outros homens. Ora, esta declaração é verdadeira, e, contudo, parece absolutamente vaga e irreal à maioria das pessoas, simplesmente porque consideram tal faculdade como sendo uma coisa absolutamente diferente de tudo de que têm tido experiência, e creem, piamente, que eles, pelo menos, são inteiramente incapazes de desenvolvê-la em si.

Talvez esta impressão de irrealidade tenda a desvanecer, se nos esforçarmos por compreender que a clarividência, como muitas outras coisas da natureza, é, sobretudo, uma questão de vibrações, e não passa, de fato, de uma extensão dos poderes que todos os dias empregamos. Vivemos sempre cercados por um vasto mar de éter e de ar, aquele interpenetrando este, como, aliás, a toda a matéria física; e é principalmente por vibrações nesse grande mar de matéria que nos chegam as impressões do exterior. Isso sabemos todos, mas talvez a muitos de nós nunca tenha ocorrido que o número dessas vibrações a que podemos responder é na verdade infinitesimal.

Entre as vibrações excessivamente rápidas que afetam o éter há uma pequena secção – uma secção mínima – que pode afetar a retina humana, e essas vibrações específicas produzem em nós a sensação a que chamamos luz. Isso é, somos capazes de ver apenas aqueles objetos de onde pode sair ou ser refletido esse gênero de luz. De modo inteiramente análogo, o tímpano do ouvido humano é capaz de responder a um número pequeníssimo de vibrações relativamente lentas – suficientemente lentas para que afetem o ar que nos cerca; e, assim, os únicos sons que podemos ouvir são aqueles produzidos por objetos que vibram num certo grau dentro da gama dessas vibrações.

Em ambos os casos, a ciência sabe perfeitamente que há um grande número de vibrações tanto acima como abaixo destas duas secções, e que, portanto há muita luz que não podemos ver e muitos sons a que os nossos ouvidos são surdos. No caso da luz, a ação dessas vibrações superiores e inferiores é fácil de perceber nos efeitos produzidos pelos raios actínicos numa extremidade do espectro e pelos raios do calor na outra extremidade.

O fato é que existem vibrações de todos os graus concebíveis de rapidez, enchendo todo o vasto espaço que medeia entre as lentas ondas do som e as rápidas ondas da luz; e isso não é tudo, pois há sem dúvida vibrações mais lentas do que as do som e uma infinidade delas mais rápidas do que aquelas que conhecemos sob a forma de luz. E assim começamos a compreender que as vibrações pelas quais vemos e ouvimos são apenas como que dois pequenos grupos de poucas cordas numa harpa enorme de extensão praticamente infinita, e quando refletimos em quanto nos tem sido possível aprender e deduzir do uso desses pequenos fragmentos, entrevemos vagamente quantas possibilidades poderiam surgir diante de nós, se pudéssemos utilizar a totalidade vasta e maravilhosa.

Outro fato, que tem de ser considerado neste particular, é que diferentes indivíduos variam consideravelmente, se bem que dentro de limites relativamente pequenos, na capacidade, que têm, de responder mesmo às pouquíssimas vibrações que estão ao alcance dos nossos sentidos físicos. Não me refiro à agudeza de vista ou de ouvido que torna possível a um indivíduo ver um objeto mais indefinido ou ouvir um som mais tênue do que outro indivíduo; não se trata, de modo algum, de uma questão de força de vista, mas sim de extensão de suscetibilidade.

Por exemplo: se pegarmos um bom prisma de bissulfito de carbono, e com ele lançarmos um espectro nítido sobre uma folha de papel branco, levando depois várias pessoas a marcar no papel os limites extremos do espectro, tal qual o veem, verificaremos quase sempre que o poder de visão dessas pessoas varia consideravelmente de umas para outras. Algumas verão o violeta estender-se muito mais longe do que outras; outras haverá que, vendo muito menos do violeta do que a maioria, terão porém uma visão maior do vermelho. Algumas haverá, talvez, que possam ver mais do que as outras nos dois extremos, e estas serão quase infalivelmente aquilo a que chamamos gente sensível – de fato capazes de um alcance maior de visão do que a maioria das pessoas hoje em dia.

Na audição, a mesma divergência poderá ser demonstrada com qualquer som que, sendo muito tênue, não esteja, porém, fora do alcance do ouvido – um som, por assim dizer, na fronteira da audibilidade – e ver quantas pessoas, entre várias, o conseguem ouvir. O guincho dum morcego é um bom exemplo de um destes sons, e a experiência mostrará que numa noite de verão, quando o ar está cheio dos guinchos agudos, como agulhas, destes animaizinhos, haverá muita gente que nenhuma consciência tenha deles, totalmente incapaz de ouvi-los.

Estes exemplos mostram claramente que não há limite definido ao poder, que o homem tem, de responder às vibrações etéricas ou atmosféricas, mas que já há alguns de nós que têm esse poder mais desenvolvido do que outros; e verificar-se-á, assim, que no mesmo indivíduo essa capacidade varia de uma ocasião para outra. Não é, pois, difícil imaginarmos que um indivíduo possa desenvolver esta capacidade de modo a conseguir ver muita coisa que é invisível aos seus semelhantes, a ouvir muita coisa que eles não podem ouvir, visto que sabemos que existe um número enorme destas vibrações adicionais, que apenas parecem estar esperando para serem descobertas.

As experiências feitas com os raios Roentgen dão-nos um exemplo dos resultados espantosos que se produzem quando mesmo poucas destas vibrações adicionais são trazidas para o alcance do conhecimento humano, e a transparência, a estes raios, de muitas substâncias até aqui tidas por opacas, imediatamente nos mostra pelo menos uma maneira em que se podem explicar tais fenômenos de clarividência elementar, como seja ler uma carta fechada numa caixa ou descrever as pessoas que estão numa sala contígua. Aprender a ver pelos raios Roentgen, além de pelos vulgarmente empregados, seria bastante para tornar qualquer indivíduo capaz de executar um ato mágico dessa natureza.

Até aqui temos considerado apenas uma extensão maior dos sentidos físicos do homem; e, quando lembramos que o corpo etérico de um indivíduo é na realidade apenas a parte mais tênue do seu corpo físico, e que, portanto, todos os órgãos dos seus sentidos contêm uma grande parte de matéria etérica com vários graus de densidade – a capacidade da qual está ainda apenas latente na maioria de nós – compreendemos que, mesmo limitando-nos a esta linha de desenvolvimento, há já enormes possibilidades de todas as espécies abrindo-se diante de nós.

Mas além e acima disso, sabemos que o homem tem um corpo astral e um corpo mental, cada um dos quais pode, no decorrer do tempo, ser acordado para a atividade, e por sua vez responder às vibrações da matéria do seu plano, abrindo ao Eu, à medida que ele aprende a funcionar através destes instrumentos, dois mundos de conhecimento e de poder, inteiramente novos e imensamente maiores. Estes novos mundos, se bem que nos cerquem e se interpenetrem uns nos outros, não devem ser considerados como distintos e inteiramente desligados quanto à sua substância, mas antes como se fundindo uns nos outros; o astral inferior formando uma série direta com o físico superior, assim como o mental inferior, por sua vez, forma uma série direta com o astral superior. Não precisamos, ao pensar neles, imaginar qualquer nova e estranha espécie de matéria, mas simplesmente que consideremos a matéria física comum como subdividida tão tenuamente e vibrando com uma rapidez tão superior que nos revela condições e qualidades inteiramente novas.

Não nos é, pois, difícil compreender a possibilidade de um alargamento regular e progressivo dos nossos sentidos, de modo que, tanto pela vista como pelo ouvido, possamos apreciar vibrações muito superiores e muito inferiores àquelas que são vulgarmente conhecidas. Uma grande secção destas vibrações adicionais pertencerá ainda ao plano físico e apenas nos tornará possível obter impressões da parte etérica desse plano, que atualmente é para nós um livro fechado. Essas impressões serão ainda obtidas pela retina; afetarão, é claro, a sua matéria etérica, e não a sólida, mas podemos, ainda assim, considerá-la como agindo apenas sobre um órgão especializado para recebê-las, e não sobre a superfície total do corpo etérico.

Há, porém, alguns casos anormais em que outras partes do corpo etérico respondem a essas vibrações adicionais tão, ou mesmo mais, prontamente do que os olhos. Essas anormalidades são explicáveis de diversas maneiras, mas, sobretudo como efeitos de qualquer parcial desenvolvimento astral, pois que se verificará que as partes sensíveis do corpo quase que invariavelmente correspondem a um ou outro dos *chakras* ou centros de vitalidade no corpo astral. E mesmo que a consciência astral não esteja ainda desenvolvida, e estes centros não sejam aproveitáveis no próprio plano a que pertencem, têm, contudo, força suficiente para estimular a matéria etérica para uma atividade maior.

Quando passamos a considerar os sentidos astrais propriamente ditos, os métodos de trabalho são muito diferentes. O corpo astral não tem órgãos de sentidos especializados, e é este um fato que talvez precise ser bem esclarecido, visto que muitos estudiosos, que tentam compreender a sua fisiologia, acham que isso é difícil de conciliar com as afirmações que se têm feito, sobre a perfeita interpenetração do corpo físico pela matéria astral, sobre a exata correspondência dos dois instrumentos, e sobre o fato de que cada objeto físico tem necessariamente o seu correspondente astral.

Ora, todas as afirmações são verdadeiras e, contudo, é perfeitamente possível que indivíduos que normalmente não têm a visão astral não as compreendam bem. Cada ordem de matéria física tem a sua ordem correspondente de matéria astral em constante comunicação com ela, não pode ser separada dela exceto por um exercício considerável de força oculta, e, mesmo assim, esta separação só perdurará enquanto tal força se exercer para tal fim. Mas, apesar de tudo isso, a inter-relação das partículas astrais é muito mais fraca do que a das suas correspondentes físicas.

Numa barra de ferro, por exemplo, temos uma massa de moléculas físicas na condição sólida, isto é, capazes de mudanças de certa forma pequenas nas suas posições relativas, ainda que cada uma vibre com imensa rapidez na sua própria esfera. O correspondente astral disto consiste naquilo a que muitas vezes chamamos matéria astral sólida – isto é, matéria do mais baixo e mais denso subplano do astral; mas as suas partículas, constante e rapidamente, estão mudando a sua posição relativa, movendo-se umas entre as outras com a mesma facilidade com que o fariam as de um líquido no plano físico. De modo que não há associação permanente entre qualquer partícula física e aquela quantidade de matéria astral que esteja, em determinado momento, atuando como seu correspondente.

Isto é igualmente verdade com respeito ao corpo astral do homem, que, para nosso objetivo atual, poderemos considerar como consistindo de duas partes – o agregado mais denso que ocupa exatamente a posição do corpo físico, e a nuvem de mais tênue matéria astral que cerca esse agregado. Em ambas estas partes, e entre as duas, está constantemente dando-se a rápida intercirculação de partículas, aqui descrita, de modo que, ao observarmos o movimento das moléculas no corpo astral, constantemente nos ocorre a sua semelhança com as da água em forte ebulição.

Posto isso, facilmente compreender-se-á que, conquanto qualquer órgão do corpo físico deverá ter sempre como seu correspondente uma certa quantidade de matéria astral, esse órgão não retém as mesmas partículas durante mais de uns segundos de cada vez, e por conseguinte nada há que corresponda à especialização de matéria nervosa física em nervos óticos ou auditivos, etc. De modo que, embora o olho ou o ouvido físico tenham sempre o seu correspondente de matéria astral, esse especial fragmento de matéria astral não é mais (nem menos) capaz de responder às vibrações que produzem a visão ou a audição astral do que qualquer outro fragmento do veículo.

Nunca se deve esquecer que, conquanto constantemente tenhamos de nos referir à "visão astral" ou "audição astral" para nos fazermos compreender, o que queremos dizer com essas expressões é a faculdade de responder a vibrações que levam à consciência do indivíduo, quando ele está funcionando no seu corpo astral, informações da mesma natureza do que aquelas que lhe são dadas através dos seus olhos e dos seus ouvidos quando ele está no seu corpo físico. Mas nas condições astrais, inteiramente diferentes, não são precisos órgãos especializados para a obtenção deste resultado; há em todas as partes do corpo astral matéria capaz de responder a tais vibrações, e por isso o indivíduo funcionando nesse corpo vê da mesma maneira objetos que estão por detrás dele, por cima dele, por baixo dele, sem precisar para isso mexer a cabeça.

Há, porém, outro ponto que não seria justo omitir completamente – é a questão dos *chakras* a que acima me referi. Os estudantes de Teosofia conhecem bem a ideia da existência nos corpos astral e etérico do homem de certos centros de força que têm de ser, cada um por sua vez, vivificados pelo *fogo da serpente* à medida que o homem avança na evolução. Ainda que não se possa dizer que estes são órgãos, no sentido comum da palavra, pois que não é através deles que o homem vê ou ouve, como na vida física, através dos olhos e dos ouvidos; é, contudo, ao que parece, em grande parte da vivificação desses centros que o poder de exercer estes sentidos astrais depende; e à medida que cada um desses centros é vivificado, ele dá a todo o corpo astral o poder de responder a um novo grupo de vibrações.

No entanto, estes centros não têm qualquer agregação permanente de matéria astral ligada a eles. Eles são apenas vórtices na matéria do corpo – vórtices através dos quais todas as partículas passam alternadamente – pontos, talvez, nos quais a força superior de planos mais altos age sobre o corpo astral. Mesmo esta descrição dá apenas uma ideia parcial do seu aspecto, porque, na realidade, eles são vórtices de quatro dimensões, de modo que a força que vem através deles e é a causa da sua existência, parece surgir de lugar nenhum. Mas, seja como for, visto que todas as partículas, umas após outras, passam por cada vórtice, está claro que é possível a cada um evocar em todas as partículas do corpo o poder de receptividade para com certo grupo de vibrações, de modo que todos os sentidos astrais estão igualmente ativos em todas as partes do corpo.

A visão do plano mental é, por sua vez, inteiramente diferente, porque neste caso já não podemos falar de sentidos separados tais como a visão e a audição, mas temos, antes, que postular um sentido geral que responde tão plenamente às vibrações que o atingem que qualquer objeto que chegue ao seu conhecimento é imediatamente compreendido por ele, é, por assim dizer, visto, ouvido, sentido, e inteiramente conhecido numa só operação instantânea. E, contudo, mesmo esta maravilhosa faculdade não difere senão em grau, e não em espécie, daquelas que estão ao nosso alcance atualmente; no plano mental, exatamente como no físico, as impressões são dadas por meio de vibrações projetadas do objeto visto sobre o indivíduo que vê.

No plano *búdico*, encontramos, pela primeira vez, uma faculdade inteiramente nova, que não tem nada em comum com aquelas de que temos falado, pois aí um indivíduo toma conhecimento de um objeto por um meio inteiramente diferente, no qual as vibrações externas não têm nenhum papel. O objeto torna-se parte do indivíduo, e ele o estuda de dentro em vez de estudá-lo de fora. Mas a clarividência comum não tem nada a ver com este poder.

O desenvolvimento, completo ou parcial, de qualquer destas faculdades caberia dentro da nossa definição de clarividência – o poder de ver aquilo que está oculto à visão física normal. Mas estas faculdades podem ser desenvolvidas de várias maneiras, e será bom dizer algumas palavras a esse respeito.

Podemos presumir que se fosse possível que, durante a sua evolução, um indivíduo ficasse isolado de todas as influências externas, exceto as mais suaves, e se desenvolvesse desde o princípio de uma maneira perfeitamente regular e normal, os seus sentidos também se desenvolveriam de modo regular. Também constataria que os seus sentidos físicos pouco a pouco aumentariam seu alcance até responderem a todas as vibrações físicas, tanto da matéria etérica, como da matéria mais densa; então, numa sequência ordenada, a sensibilidade atingiria a parte mais grosseira do plano astral, e em breve também a parte mais elevada seria incluída, até que, por um decurso natural, a faculdade do plano mental apareceria também.

Na vida real, porém, quase nunca se conhece um desenvolvimento assim regular, e muitos homens têm vislumbres de consciência astral sem que neles haja sequer acordado a visão etérica. E esta irregularidade de desenvolvimento é uma das principais causas da tendência extraordinária do homem para o erro em matéria de clarividência – tendência à qual só se escapa mediante um longo período de *instrução* dada por um professor qualificado.

Os estudiosos da literatura teosófica sabem bem que é possível encontrar esses professores – que mesmo neste século materialista o velho dito permanece certo, que "quando o aluno está pronto, o Mestre está pronto também", e que "quando o aluno se torna capaz de entrar no portal da sabedoria, ali sempre encontrará seu Mestre". Eles sabem também que só com tal orientação pode um indivíduo desenvolver, com segurança e proveito, os seus poderes latentes, visto que sabem quão fatalmente fácil é ao clarividente pouco *instruído* enganar-se quanto ao valor e à significação daquilo que vê, ou mesmo deformar inteiramente a sua visão ao trazê-la para baixo, para a sua consciência física.

Não se pode concluir que mesmo o aluno que esteja recebendo instrução apropriada no uso dos poderes ocultos, consiga desenvolvê-los em si exatamente na ordem adequada sugerida acima, provavelmente apenas como ideal. O seu progresso anterior pode não ter sido aquele que tornaria essa estrada a mais fácil ou a mais desejável para ele; mas, de qualquer modo, está entregue a alguém que tem toda a competência para ser o seu guia no desenvolvimento espiritual, e tem a plena e satisfatória segurança de que o caminho pelo qual o levam é aquele que para ele é o melhor.

Outra grande vantagem que ele ganha é que as faculdades que adquire ficam definitivamente sob seu domínio e podem ser constante e plenamente usadas quando ele precisar delas para o seu trabalho teosófico; ao passo que, no caso do indivíduo indevidamente treinado, estes poderes muitas vezes se manifestam apenas de modo muito parcial e espasmódico, parecendo ir e vir, por assim dizer, por sua livre vontade.

Pode com certa razão ser colocado que, se a faculdade da clarividência é, como se disse, parte do desenvolvimento oculto do homem, e, assim, uma indicação de certa quantidade de progresso nessa direção, parece estranho que muitas vezes seja possuída por povos primitivos, ou pelos ignorantes e incultos da nossa raça – indivíduos evidentemente sem desenvolvimento algum, de qualquer ponto de vista que os encaremos. Certamente isso parece estranho à primeira vista; mas o fato é que a sensibilidade do selvagem ou do europeu ignorante e grosseiro não é de modo algum a mesma coisa que a faculdade do seu semelhante propriamente treinado, nem é obtida de maneira idêntica.

Uma explicação exata e detalhada da diferença levar-nos-ia a pontos complexamente técnicos, mas talvez seja possível dar uma noção geral da distinção entre as duas por meio de um exemplo tirado do plano ínfimo da clarividência, em contato próximo com o plano físico mais denso. O duplo etérico no homem está numa relação excessivamente íntima com o seu sistema nervoso, e qualquer ação sobre um deles rapidamente atua sobre o outro. Ora, no aparecimento esporádico da visão etérica no selvagem, quer da África Central, quer da Europa Ocidental, tem-se observado que a perturbação nervosa correspondente é quase toda apenas no sistema simpático, e que toda a questão está realmente fora do domínio da vontade do indivíduo – é, de fato, uma espécie de sensação *em massa*, pertencendo vagamente a todo o corpo etérico, e não uma percepção exata e definida dos sentidos comunicada através de um órgão especializado.

Como nas raças posteriores e no meio de um desenvolvimento mais elevado, a força do homem mais e mais se acha entregue ao desenvolvimento das faculdades mentais, esta vaga sensibilidade em geral desaparece; porém, mais tarde, quando o homem espiritual começa a desenvolver-se, retoma o seu poder de clarividência. Desta vez, porém, a faculdade é exata e precisa, sob o domínio da vontade do indivíduo, e exercida através dum órgão sensorial definido; e é de notar que qualquer ação nervosa com que se relacione é agora quase exclusivamente do sistema cérebro-espinhal.

Sobre este assunto escreve a Sra. Besant: "As formas inferiores do *psiquismo* são mais frequentes nos animais e em seres humanos de inteligência rudimentar do que em homens e mulheres em quem as faculdades intelectuais estejam bem desenvolvidas. Parecem estar ligadas ao sistema simpático, e não ao cérebro-espinhal. As grandes células ganglionares nucleais neste sistema contêm uma grande porção de matéria etérica, e são por isso mais facilmente afetadas pelas vibrações astrais mais grosseiras do que as células em que a porção é menor. À medida que o sistema cérebro-espinhal se desenvolve e que o cérebro se torna mais perfeito, o sistema simpático cai para uma situação subordinada, e a sensibilidade às vibrações psíquicas é dominada pelas vibrações mais fortes e mais ativas do sistema nervoso superior. É certo que, num estágio ulterior da evolução, a sensibilidade psíquica reaparece, mas então, é desenvolvida em relação com os centros cérebro-espinhais e está sob o domínio da vontade. Mas o *psiquismo* histérico[12] e irregular, de que vemos tantos lamentáveis exemplos, é devido ao pequeno desenvolvimento do cérebro e à predominância do sistema simpático".

Vislumbres passageiros de clarividência ocorrem, porém, algumas vezes ao indivíduo altamente culto e com tendências espirituais, ainda que ele nunca tenha ouvido falar da possibilidade de cultivar essa faculdade. No seu caso, esses indícios em geral significam que ele está se aproximando daquele estágio na sua evolução quando esses poderes começarão naturalmente a manifestar-se, e o seu aparecimento deve servir de um estímulo adicional para que ele tente manter um alto nível de pureza moral e equilíbrio mental, sem os quais a clarividência é um mal e não um bem para quem a possui.

Entre aqueles que são inteiramente insuscetíveis e aqueles que

---
[12] Considera-se que a histeria pode produzir distorções na percepção sensorial. (N.E.)

estão em plena posse do poder de clarividência, há muitos estágios intermediários. Um desses estágios, que convém talvez examinar por alto, é aquele em que o indivíduo, ainda que não tenha faculdades de clarividência na vida normal, contudo as revela em grau maior ou menor quando sob a influência do hipnotismo. É este um caso em que a natureza psíquica já é sensível, mas a consciência ainda é incapaz de utilizá-la, no meio das múltiplas distrações da vida física. É preciso que ela seja libertada, pela suspensão temporária dos sentidos exteriores no transe hipnótico, antes que possa usar as mais divinas faculdades que estão apenas começando a aparecer dentro dela. Mas, é claro, que mesmo no transe hipnótico, há inúmeros graus de lucidez, desde o paciente comum, que é nitidamente obtuso, até o indivíduo cujo poder de visão está inteiramente sob o domínio do hipnotizador, e pode ser dirigido na direção que ele quiser, ou até ao estágio ainda mais avançado em que, uma vez libertada, a consciência escapa inteiramente ao domínio daquele que magnetiza e sobe a alturas de visão exaltada onde fica inteiramente fora do seu alcance.

Outro passo neste mesmo caminho é aquele em que não é preciso uma tão perfeita supressão do físico, como a que se dá no transe hipnótico, mas em que o poder de visão sobrenormal, ainda que inatingível na vigília torna-se possível quando o corpo está sob o domínio do sono comum. Neste estágio de desenvolvimento estavam muitos profetas e videntes, sobre os quais lemos que "foram avisados por Deus num sonho", ou comungaram com seres muito mais elevados do que eles no alto silêncio da noite.

A maioria das pessoas cultas das raças superiores[13] do mundo

---

[13] A raça no conceito teosófico é mais um estágio civilizatório de despertar da consciência e dos sentidos do que uma questão física ou genética, porque em cada raça se desperta um novo sentido, de acordo com *A Doutrina Secreta*, H. P. B., Ed. Pensamento-SP. (N.E.)

tem até certo ponto atingido este desenvolvimento: isto é, os sentidos dos seus corpos astrais estão plenamente aptos a funcionar e perfeitamente capazes de receber impressões de objetos e entidades de seu próprio plano. Mas para que isso lhes sirva de qualquer coisa aqui no seu corpo físico, são, em geral, necessárias duas condições: primeiro, que o Eu seja acordado para as realidades do plano astral e levado a sair da crisálida formada pelos seus pensamentos de vigília, de modo a olhar em seu redor e aprender; e, em segundo lugar, que a consciência seja de tal modo retida pelo Eu, ao regressar ao seu corpo físico, que consiga fixar no seu cérebro físico a memória do que aprendeu ou viu.

Se a primeira destas alterações se produziu, a segunda é de pequena importância, visto que o Eu, o verdadeiro homem, poderá se beneficiar com a informação que se pode obter nesse plano, mesmo que não tenha a satisfação de trazer qualquer memória disso, para a sua vida de vigília.

Os estudantes destes assuntos perguntam muitas vezes como é que esta faculdade de clarividência se manifestará inicialmente neles – como poderão saber quando chegaram ao estágio em que começam a notar os seus primeiros e pálidos vislumbres. Há tanta diferença entre uns casos e outros, que é impossível dar a esta pergunta uma resposta que seja aplicável a todos.

Alguns começam, por assim dizer, por um mergulho, e sob qualquer excitação invulgar tornam-se aptos a ter, por uma vez que seja, qualquer visão notável; e muitas vezes num caso destes, porque a experiência não se repete, o vidente chega depois a crer que, nesse momento, deve ter sido vítima de uma alucinação. Outros começam por adquirir uma consciência intermitente das cores brilhantes e das vibrações da aura humana; outros se percebem, com uma frequência crescente, vendo e ouvindo coisas a que são cegos e surdos aqueles que os cercam; outros, ainda, veem rostos, paisagens ou nuvens coloridas pairar diante de seus olhos antes de adormecer; mas talvez a mais comum de todas as experiências seja a dos que começam a recordar com uma nitidez cada vez maior o que viram e ouviram em outros planos durante o sono.

Tendo assim, até certo ponto, limpado o terreno, podemos passar a considerar os vários fenômenos de clarividência.

Eles diferem tanto, quer em gênero, quer em grau, que não é muito fácil decidir como podem ser classificados mais satisfatoriamente. Poderíamos, por exemplo, classificá-los segundo a espécie de visão empregada – mental, astral, ou apenas etérica. Poderíamos classificá-los segundo a capacidade do clarividente, considerando se ele é treinado ou não, na clarividência; se a sua visão é regular e sob o domínio da sua vontade, ou espasmódica e independente dela; se a pode exercer apenas sob influência mesmérica, ou se esse apoio não lhe é necessário; se é capaz de empregar esse poder quando em vigília no seu corpo físico, ou se apenas o pode utilizar quando temporariamente afastado desse corpo no sono ou no transe.

Todas estas distinções são importantes, e teremos que considerar todas elas à medida que avançarmos no assunto, mas talvez a classificação mais prática e útil seja uma no gênero daquela adotada pelo Sr. Sinnett no seu livro *Explicação do Mesmerismo* – um livro, aliás, que deve ser lido por todos quantos queiram estudar a clarividência. Ao tratar destes fenômenos, vamos agrupá-los, preferencialmente, segundo a capacidade da visão empregada e não segundo o plano em que é exercitada, de modo que poderemos reunir os casos de clarividência em categorias como as seguintes:

1 – *Clarividência simples:* isto é, uma mera abertura da visão, tornando o seu possuidor capaz de ver as entidades astrais ou etéricas que por acaso estiverem à sua volta, mas não incluindo o poder de observar lugares distantes ou cenas pertencentes a um tempo que não seja o presente.

2 – *Clarividência no espaço:* o poder de ver cenas ou acontecimentos afastados do vidente no espaço por estarem muito longe para a observação normal, por estarem ocultos por objetos interpostos.

3 – *Clarividência no tempo:* isto é, o poder de ver objetos ou acontecimentos que estão afastados do vidente no tempo, ou, em outras palavras, o poder de ver o passado e o futuro.

Capítulo 2

Clarividência simples: Completa

Definimos a clarividência simples como um mero abrir da visão etérica ou astral, que torna o seu possuidor capaz de ver o que o cerca em níveis correspondentes, mas não é em geral acompanhado pelo poder de ver qualquer coisa a uma grande distância ou ler o passado ou o futuro. Não é possível, decerto, excluir de todo estas últimas faculdades, porque a visão astral tem necessariamente uma extensão consideravelmente maior do que a física, e por vezes acontece que quadros fragmentados, tanto do passado como do futuro, são casualmente visíveis mesmo a clarividentes que não têm nenhuma noção de como procurá-los especificamente; há, contudo, uma distinção muito real entre esses vislumbres acidentais e o poder real de projetar a visão quer no espaço, quer no tempo.

Entre pessoas sensíveis, encontramos todos os graus desta espécie de clarividência, desde a do indivíduo que obtém uma impressão vaga que mal merece o nome de visão, até a plena posse da visão etérica ou da visão astral. Talvez que o mais simples seja que comecemos por descrever o que seria visível no caso deste desenvolvimento mais pleno da faculdade, e, assim, os casos da sua posse parcial serão, então, devidamente compreendidos em relação a esse.

Tratemos primeiro, da visão etérica. Esta consiste simplesmente, como já foi dito, na suscetibilidade a uma série muito maior de vibrações físicas do que é normal, mas, ainda assim, a sua posse permite vislumbrar uma porção de coisas a que a maioria da humanidade ainda é cega. Vejamos que efeitos produz a aquisição desta faculdade no aspecto de objetos familiares, animados e inanimados, e verifiquemos depois a que fatores inteiramente novos ela nos torna conscientes. Mas não se deve esquecer que o que vou descrever é o resultado da posse plena e perfeitamente dominada da faculdade, e que a maioria dos casos que encontramos pelo mundo a fora serão, com respeito a esse, deficientes num ou noutro ponto.

A alteração mais flagrante que é produzida, no aspecto dos objetos inanimados, pela aquisição desta faculdade, é que a maioria deles se torna quase transparente, devido à diferença do comprimento de onda em algumas das vibrações a que o indivíduo acaba de se tornar sensível. Ele verifica que é capaz de realizar com a maior das facilidades o feito tradicional de "ver através de um muro de pedra", porque, para a sua nova visão, o muro de pedra parece não ter maior consistência do que uma névoa ligeira. Por isso ele vê o que se passa num quarto ao lado, quase como se não existisse uma parede intermédia; pode descrever sem errar o conteúdo de uma caixa fechada, ou ler uma carta que está lacrada dentro do seu envelope; com alguma prática pode encontrar determinado trecho num livro fechado. Este último feito, ainda que perfeitamente fácil para a visão astral, é bastante difícil para quem empregue a visão etérica, porque cada página tem de ser vista *através* de todas as outras que possam estar sobrepostas a ela.

Muitas vezes, indaga-se se nestes casos um indivíduo vê sempre com a sua visão anormal, ou se apenas o faz quando assim o deseja. A resposta é que, se a faculdade estiver perfeitamente desenvolvida, ela estará inteiramente sob o domínio do indivíduo, e ele poderá, conforme o desejar, empregar essa visão ou apenas a sua visão normal. Ele passa de uma para a outra com a prontidão e a naturalidade com que normalmente mudamos o foco dos nossos olhos ao levantá-los do livro, que estamos lendo, para seguir os movimentos de um objeto a um quilômetro de distância. Trata-se, por assim dizer, de focar a consciência sobre um ou outro aspecto do que se vê; e, ainda que o indivíduo tenha claramente em vista aquele aspecto sobre o qual a sua atenção se fixa no momento, sempre terá uma vaga consciência do outro aspecto também, exatamente como quando focamos a vista sobre qualquer objeto que tenhamos na mão e, contudo, vemos vagamente a parede fronteira do quarto, como fundo.

Outra curiosa alteração, que vem da posse desta visão, é que a terra sólida, sobre a qual o indivíduo caminha, se torna até certo ponto transparente a seus olhos, de modo que ele pode ver até bastante fundo nela, exatamente como normalmente vemos através de água relativamente límpida. Isto o torna capaz de ver qualquer animal construindo um túnel subterrâneo, ou distinguir um filão de carvão ou de minério, se não estiver muito fundo, etc.

Os limites da visão etérica, quando olhamos através de matéria sólida, parecem ser análogos àqueles que nos são impostos quando vemos através da água ou de um nevoeiro. Não podemos ver para além de certa distância, porque o meio, através do qual olhamos, não é perfeitamente transparente.

A aparência dos objetos animados também é consideravelmente alterada para o indivíduo que aumentou até este ponto os seus poderes visuais. Os corpos dos homens e dos animais são para ele em grande parte transparentes, de modo que pode ver a ação dos vários órgãos internos e, até certo ponto, diagnosticar algumas de suas doenças.

Esta visão mais extensa também lhe permite ver, com maior ou menor clareza, várias espécies de criaturas, elementais e outras, cujos corpos não são capazes de refletir quaisquer dos raios dentro dos limites do espectro como o vemos normalmente. Entre as entidades assim vistas estarão algumas das ordens inferiores dos espíritos-da-natureza – aqueles cujos corpos são compostos da mais densa matéria etérica. A esta classe pertencem todas as fadas, gnomos, etc., a respeito dos quais ainda existem tantas histórias nas montanhas da Escócia e da Irlanda e em países longínquos em todo o mundo.

O vasto reino dos espíritos-da-natureza é, sobretudo, um reino astral, mas há uma grande secção dele que pertence à parte etérica do plano físico, e, evidentemente, é muito mais provável que esta secção entre na esfera do conhecimento de gente normal, do que as outras. Na verdade, ao lermos os contos de fadas comuns, frequentemente encontramos nítidas indicações de estarmos tratando desta classe. Qualquer estudioso de contos de fadas deve lembrar-se do grande número de vezes que neles se fala de um unguento ou droga misteriosa, a qual, quando aplicada aos olhos de um indivíduo, o torna apto a ver os membros do reino das fadas, onde quer que os encontre.

A história desta aplicação e dos seus resultados é tão repetida e surge-nos de tantas partes do mundo que com certeza deve basear--se em alguma verdade, como sempre ocorre em qualquer tradição popular realmente universal. Ora não há nenhum simples untar dos olhos de um indivíduo que seja capaz de abrir-lhe a visão astral, mas há certos unguentos que, esfregados sobre todo o corpo, muito auxiliam o corpo astral a abandonar o físico com plena consciência – fato este cujo conhecimento parece ter sobrevivido até os tempos medievais, como se verá dos testemunhos dados em alguns dos julgamentos por bruxaria. Mas a aplicação aos olhos físicos bem poderá de tal modo excitar a sua sensibilidade que os torne suscetíveis a algumas das vibrações etéricas.

A história muitas vezes continua a relatar a situação em que o ser humano, que utilizou esse unguento místico, revela de qualquer modo a uma fada a sua visão amplificada e ela golpeia ou espeta seus olhos, privando-o assim, não só da visão etérica, mas mesmo daquela do mais denso plano físico. (V. *A Ciência dos Contos de Fadas*, por E. S. Hartland, na "Contemporary Science Series" – ou mesmo qualquer coleção razoavelmente completa de contos de fadas.) Se a visão adquirida tivesse sido astral, tal procedimento da parte da fada não teria ocasionado nenhum problema, pois nenhum estrago produzido no aparelho físico pode afetar uma faculdade astral; mas se a visão produzida pelo unguento tivesse sido etérica, a destruição dos olhos físicos, na maioria dos casos, a extinguiria imediatamente, visto que é através deles que essa visão opera.

Qualquer indivíduo que possuísse esta visão, de que estamos falando, poderia também ver o duplo etérico do homem; mas, visto que este é quase idêntico em tamanho ao corpo físico, é pouco provável que lhe chamasse a atenção, a não ser que estivesse parcialmente projetado em transe ou sob a influência de anestésicos. Depois da morte, quando se retira inteiramente do corpo denso, ser-lhe-ia claramente visível, e ele frequentemente o veria pairando por cima de sepulturas recentes ao passar por um cemitério. Se fosse assistir a uma sessão espírita, veria a matéria etérica saindo do lado do médium e poderia observar as diversas maneiras de que as entidades comunicantes a utilizam.

Outro fato que em breve não deixaria de impressioná-lo seria a extensão de sua percepção da cor. Ele descobriria que era capaz de ver várias cores inteiramente novas, nada parecidas com aquelas que formam parte do espectro como o conhecemos agora, e, portanto, inteiramente indescritíveis em quaisquer palavras de que dispomos atualmente. E não só veria outros objetos inteiramente compostos dessas cores novas, mas também descobriria que as cores de muitos objetos que ele conhecia se tinham modificado, dependendo de eles terem ou não algum elemento destes novos matizes na sua constituição. De modo que duas superfícies coloridas, que aos olhos comuns pareceriam assemelhar-se perfeitamente, muitas vezes apresentariam tonalidades totalmente diferentes à sua vista mais apurada.

Referimo-nos agora a algumas das principais alterações que aconteceriam no mundo de um indivíduo quando ele adquirisse a visão etérica; e deve-se sempre lembrar que na maioria dos casos, simultaneamente, aconteceria também uma alteração equivalente nos seus outros sentidos, de modo que ele se tornaria capaz de ouvir, e talvez mesmo de sentir mais do que a maioria dos que o cercam. Suponhamos, agora, que, além disso, ele adquirisse também a visão do plano astral; que alterações adicionais resultariam daí?

Essas alterações seriam muitas e importantes; de fato, abrir-se--ia diante dos seus olhos um mundo inteiramente novo. Consideremos resumidamente as suas maravilhas na mesma ordem anterior, e vejamos primeiro qual a diferença que haveria no aspecto dos objetos inanimados. Neste ponto, começarei por citar uma estranha resposta, recentemente impressa em *The Vahan*:

"Há uma diferença nítida entre a visão etérica e a visão astral, e é esta última que parece corresponder à quarta dimensão".

"O modo mais fácil de compreender a diferença é por meio de um exemplo. Se olhásseis para um homem com as duas visões, uma após outra, nos dois casos veríeis os botões nas costas do seu sobretudo; mas, se usásseis a visão etérica, os botões seriam vistos *através* dele, e veríeis, portanto, *o lado de trás do botão* mais próximo de vós, ao passo que, se vísseis astralmente, veríeis não só assim, mas ao mesmo tempo como se estivésseis colocado por detrás do indivíduo e olhando para suas costas.

"Ou se estivésseis olhando etericamente para um cubo com caracteres escritos em todos os lados, o cubo seria para a vossa vista como se fosse de vidro, de modo que poderíeis ver através dele, vendo o que está escrito do lado oposto de trás para diante, ao passo que o que está escrito dos lados só poderia estar nítido para vós se mudásseis de lugar, visto que sem isso apenas o veríeis de lado. Mas se olhásseis para ele astralmente, veríeis todos os lados ao mesmo tempo e todos colocados diante de vós como se todo o cubo tivesse se tornado plano diante dos vossos olhos; e veríeis também cada partícula do interior do cubo, não *através* das outras, mas planamente. Estaríeis olhando para o cubo *de outra direção, perpendicularmente a todas as direções que conhecemos*.

"Se olhardes etericamente para a parte de trás de um relógio, vereis as rodas todas do maquinismo *através* dela, e o mostrador *através das rodas;* mas, ao contrário, se olhardes para ela astralmente, vereis o mostrador como deve ser e todas as rodas *separadas umas das outras*, mas nenhum destes objetos sobreposto a outro".

Aqui temos nitidamente a chave, o principal fator da mudança; o indivíduo está vendo tudo de um ponto de vista inteiramente diferente, inteiramente fora de tudo quanto antes pôde imaginar. Já não tem a menor dificuldade em ler qualquer página de um livro fechado, porque já não está olhando para ela através de todas as outras páginas que estão antes ou depois, mas sim olhando diretamente para ela como se fosse a única página a ver. A profundidade a que está um filão de minério ou de carvão já não é um obstáculo à sua visão, porque ele já não está olhando para o filão *através* da profundidade de terra que o envolve. A grossura dum muro, ou o número de muros entre o observador e o objeto, fariam uma grande diferença para a nitidez da visão etérica; não fariam diferença nenhuma para a visão astral, porque no plano astral nada disso *estaria* entre o observador e o objeto. Está claro que isso parece paradoxal e inexplicável, e é, na verdade, inteiramente inexplicável a um espírito que não esteja preparado para compreender estas ideias; mas nem por isso é menos verdadeiro.

Isso leva-nos naturalmente à questão debatidíssima da quarta dimensão – assunto do maior interesse, mas que não podemos discutir no curto espaço de que dispomos. Quem o quiser estudar, com a atenção que o problema merece, deve ler, inicialmente, *Os Romances Científicos* do Sr. C. H. Hinton ou *Outro Mundo* do Dr. A. T. Schofield, passando depois à obra mais extensa do primeiro destes autores, *Uma Nova Era do Pensamento*. O Sr. Hinton não só afirma ser pessoalmente capaz de abranger mentalmente algumas das figuras quadridimensionais mais simples, mas também diz que o pode fazer quem se der ao trabalho de seguir, atenta e perseverantemente, as suas instruções. Não me parece que isso esteja ao alcance de todos, como crê o autor, pois se me afigura que para isso é preciso uma considerável habilidade matemática; mas posso testemunhar, pelo menos, que a téssera, ou cubo quadridimensional, é uma realidade, porque é uma figura muito conhecida no plano astral. O Sr. Hinton acaba de aperfeiçoar um novo método de representar as várias dimensões por meio de cores em vez de símbolos escritos arbitrários. Afirma que assim o estudo ficará muito simplificado, visto que o leitor será capaz de reconhecer imediatamente, à vista, qualquer parte ou feição da téssera. Diz-se que uma descrição completa deste método, com ilustrações, está prestes a entrar no prelo, devendo aparecer dentro de um ano, de modo que os que pretendem estudar este assunto fascinador farão bem em aguardar a sua publicação.

Sei que Madame Blavatsky, ao aludir à teoria da quarta dimensão, deu o seu parecer no sentido de que isso é apenas uma maneira grosseira de afirmar a ideia da inteira permeabilidade da matéria, e que o Sr. W. T. Stead seguiu a mesma orientação. A investigação cuidadosa, detalhada e repetida parece, porém, mostrar concludentemente que essa explicação não abrange todos os fatos. É uma descrição perfeita da visão etérica, mas a ideia mais avançada, e inteiramente diferente, da quarta dimensão, tal qual a expõe o Sr. Hinton, é a única que dá qualquer explicação plausível sobre os fatos de visão astral constantemente observados neste mundo. Tomarei, portanto, e com o devido respeito, a liberdade de sugerir que Madame Blavatsky, quando escreveu como citei, tinha em mente a visão etérica, e não a astral, e que a extrema aplicabilidade da frase a esta outra faculdade mais elevada, na qual ela não pensava no momento, não lhe ocorreu.

A posse deste poder extraordinário e de difícil definição deve, pois, estar sempre presente no espírito do leitor no decorrer de tudo o que segue. Ela torna patente aos olhos do vidente cada ponto no interior de um sólido, exatamente como cada ponto no interior de um círculo está patente à vista do observador que olha para esse círculo. Mas mesmo isso não esgota tudo quanto essa visão dá ao seu possuidor. Ele vê não apenas o interior e o exterior de cada objeto, mas também o seu correspondente astral. Cada átomo e molécula da matéria física têm o seu átomo ou molécula astral correspondente, e o volume com construído esses é claramente visível ao clarividente. Em geral a parte astral de qualquer objeto é projetada um pouco além dos limites do seu físico, e assim os metais, as pedras e outros objetos aparecem cercados por uma aura astral.

Ver-se-á imediatamente que, mesmo no estudo da matéria inorgânica, um indivíduo ganha imensamente com a aquisição desta visão. Ele vê tanto o interior quanto o exterior de cada objeto, além de sua parte astral, que antes lhe era inteiramente oculta; não só vê muito mais de sua constituição física do que anteriormente; mas mesmo o que antes lhe era visível é agora visto com uma clareza e uma verdade muito maiores. Um momento de reflexão mostrará que esta nova visão se aproxima muito mais da verdadeira percepção do que a visão física. Por exemplo, se ele olhar astralmente para um cubo de vidro, todos os seus lados parecerão iguais como, com efeito, o são, ao passo que no plano físico verá o lado oposto em perspectiva, isto é, parecendo menor do que o lado que está mais perto, o que não passa, é claro, de uma mera ilusão devida às suas limitações físicas.

Quando passamos a considerar as facilidades adicionais que ela oferece na observação dos objetos animados, vemos mais claramente as vantagens da visão astral. Ela mostra ao clarividente a aura das plantas e dos animais; e, no caso desses, portanto, os seus desejos e emoções, e quaisquer pensamentos que possam ter aparecem diante de seus olhos.

Mas é com referência aos seres humanos que ele mais apreciará as vantagens desta faculdade, porque frequentemente poderá auxiliá-los muito mais, quando guiado pela informação que ela lhe fornece.

Poderá ver a aura até o corpo astral, e, mesmo que isso deixe ainda invisível toda a parte superior do homem, ser-lhe-á possível, mediante uma observação cuidadosa, aprender, pela parte que lhe é visível, muitas coisas a respeito dessa parte superior. A sua capacidade de examinar o duplo etérico dar-lhe-á considerável facilidade em localizar e classificar quaisquer doenças ou defeitos do sistema nervoso, enquanto que do aspecto do corpo astral perceberá imediatamente as emoções, as paixões, os desejos e as tendências do indivíduo em sua frente, e, também, grande parte dos seus pensamentos.

Ao olhar para um indivíduo, vê-lo-á cercado pela névoa luminosa da aura astral, reluzindo em variadíssimas cores brilhantes, e constantemente mudando de matiz e de brilho com cada variação dos pensamentos e dos sentimentos do indivíduo. Verá essa aura inundada pela bela cor rosa da afeição pura, pelo azul brilhante dos sentimentos de devoção, pelo castanho duro e baço do egoísmo, pelo escarlate vivo da cólera, pelo horrível vermelho ardente da sensualidade, pelo cinzento lívido do medo, pelas nuvens negras do ódio e da maldade, ou de qualquer das tantas outras indicações tão facilmente lidas por um olhar experimentado; e assim será impossível a qualquer pessoa esconder-lhe o estado verdadeiro dos seus sentimentos sobre qualquer assunto.

Estas variadas indicações da aura são, de *per si*, um estudo profundamente interessante, mas não me sobra espaço para aqui me referir a elas detalhadamente. Um relato muito mais circunstanciado a seu respeito, acompanhado de ilustrações coloridas, encontra-se na minha obra sobre *O Homem Visível e Invisível*.

A aura astral, porém, não só lhe mostra os resultados temporários da emoção que a está atravessando no momento, mas também lhe revela, pela distribuição e proporção de suas cores, quando num estado de relativo repouso, uma indicação quanto à disposição geral e ao caráter do seu dono. Porque o corpo astral é a expressão das características do indivíduo que podem ser expressas naquele plano, de modo que, a partir do que nele se vê, pode-se, com razoável segurança, concluir muito mais sobre coisas que pertencem a planos mais elevados.

Nesta avaliação do caráter, o clarividente será consideravelmente auxiliado pela parte do pensamento do indivíduo que se exprime no plano astral, e que, por conseguinte, fica dentro do alcance de sua visão. A verdadeira sede do pensamento está no plano mental, e todo o pensamento primeiro se manifesta ali como uma vibração do corpo mental. Mas se o pensamento tiver qualquer elemento egoísta, ou se de algum modo estiver ligado a uma emoção ou a um desejo, ele desce imediatamente ao plano astral e toma uma forma visível de matéria astral.

No caso da maioria dos homens, quase todos os seus pensamentos entram em uma ou outra destas categorias, de modo que se pode dizer que toda a sua personalidade estará patente à visão astral do observador, visto que os seus corpos astrais e as 'formas--pensamento' que delas constantemente emanam seriam para ele como um livro aberto onde as características do observado estariam escritas claramente, de modo a poderem ser lidas por quem quer que seja com o preciso alcance de visão. Quem quiser ter uma ideia de *como* as 'formas-pensamento' se apresentam à visão clarividente pode até certo ponto satisfazer a sua curiosidade examinando as ilustrações que acompanham o livro *'Formas-Pensamento'*, que a Sra. Besant e eu escrevemos sobre o assunto.

Citamos já qualquer coisa com respeito à alteração no aspecto, tanto dos objetos inanimados como dos animados, quando vistos por quem possui a plena visão clarividente no que se refere ao plano astral; vejamos agora que ele será capaz de ver objetos inteiramente novos. Terá consciência de uma plenitude muito maior na natureza em muitas direções, mas a sua atenção será especialmente atraída pelos habitantes vivos deste novo mundo. Não vamos sequer tentar um relato detalhado do que eles são no pouco espaço de que dispomos; o assunto pode ser estudado, porém, no quinto dos nossos *Manuais Teosóficos*. Podemos enumerar aqui rapidamente apenas algumas classes das vastas hostes de habitantes astrais.

Impressioná-lo-ão as formas variáveis da maré incessante de essência elemental, redemoinhando sempre ao seu redor, por vezes ameaçando-o, mas sempre se retirando perante um esforço forte da vontade; ele ficará maravilhado com o exército enorme de entidades temporariamente arrancadas desse oceano para uma vida própria, pelos pensamentos e os desejos dos homens, bons ou maus. Assistirá ao trabalho ou ao recreio das múltiplas tribos de espíritos da natureza; poderá por vezes estudar, com deleite crescente, a evolução magnífica de algumas das ordens inferiores do glorioso reino dos *devas*, que corresponde aproximadamente às hostes angélicas da terminologia cristã.

Mas talvez de maior interesse para ele sejam os habitantes humanos do reino astral, e ele os encontrará divididos em duas grandes classes: aqueles a quem chamamos os vivos, e os outros, alguns dos quais infinitamente mais vivos, a quem absurdamente chamamos os mortos. Entre os primeiros encontrará aqui e ali um ou outro inteiramente desperto e plenamente consciente, mandado, talvez, para lhe comunicar qualquer coisa ou examinando-o atentamente, para ver que progresso está fazendo; ao passo que a maioria dos seus semelhantes, quando fora dos seus corpos físicos durante o sono, passará por ele desapercebidamente, tão completamente envolvida em seus próprios pensamentos que praticamente não tem consciência do que está acontecendo ao seu redor.

Entre a grande multidão dos recém-mortos encontrará todos os graus de consciência e de inteligência, e todas as nuances de caráter – porque a morte, que parece, à nossa curta visão, ser uma mudança tão absoluta, nada altera no homem propriamente dito. No dia depois da morte, ele é exatamente o mesmo homem que era no dia anterior, com a mesma disposição, as mesmas qualidades, as mesmas virtudes e os mesmos vícios, com exceção apenas de que abandonou o seu corpo físico; mas essa perda lhe faz tanta diferença como o ato de tirar um casaco. E, assim, entre os mortos o nosso observador encontrará gente inteligente e gente estúpida, gente bondosa e gente maligna, gente séria e gente frívola, gente de feitio espiritual e gente de índole sensual, exatamente como entre os vivos.

Visto que pode, não só ver os mortos, mas também falar com eles, consegue muitas vezes ser-lhes útil e dar-lhes informação e conselhos que lhes sejam de grande utilidade. Muitos deles ficam num estado de grande surpresa e perplexidade, e, às vezes, mesmo de grande angústia, por constatarem que os fatos do mundo dos mortos são tão diferentes de todas as lendas infantis, que é tudo o que a religião popular do Ocidente tem a oferecer com respeito a esse assunto transcendentemente importante; e por isso um indivíduo que compreenda este novo mundo e possa dar explicações é na verdade um amigo necessário.

De muitas outras maneiras, um indivíduo que possui esta faculdade pode ser útil tanto aos vivos como aos mortos; mas esta parte do assunto já foi tratada no meu livro *Auxiliares Invisíveis*. Além de entidades astrais, ele encontrará cadáveres astrais – sombras e "cascões" em todos os estados de decomposição; mas aqui basta que sejam apenas mencionados, visto que o leitor, que deseje saber mais a esse respeito, encontrará o que procura em nossos terceiro (*A Morte e Depois*) e quinto (*O Plano Astral*) manuais.

Outro resultado maravilhoso que o pleno gozo da clarividência astral traz a um indivíduo, é que ele deixa de ter intervalos na sua vida consciente. Quando adormece à noite, deixa o seu corpo físico aproveitar o descanso de que precisa, enquanto trata de sua vida no veículo astral bem mais confortável. De manhã regressa e entra novamente em seu corpo físico, mas sem interrupção de consciência ou perda de memória entre os dois estados, podendo assim viver como se fosse uma vida dupla que, contudo, é só uma e empregar utilmente toda ela, em vez de perder a terça parte de sua existência numa inconsciência total.

Outro estranho poder que talvez descubra possuir (ainda que seu pleno domínio pertença, sobretudo a mais elevada faculdade *devachanica*) é o de aumentar, quando assim quiser, o tamanho da menor partícula física ou astral, até ela ter as dimensões que ele deseja, como se estivesse empregando um microscópio – ainda que nenhum microscópio que exista, ou que poderá vir a existir, possua nem a milésima parte deste poder físico de aumentar. Por meio desta faculdade, a molécula e o átomo hipotéticos, que a ciência postula, tornam-se realidades visíveis e vivas para o estudioso das coisas ocultas, e, ao examiná-las assim de mais perto, ele verifica que a sua estrutura é muito mais complexa do que pensa o cientista.

Também essa faculdade o torna capaz de seguir com a mais interessada atenção todas as espécies de ação elétrica, magnética, e etérica de outras espécies; e quando alguns dos especialistas nestes ramos da ciência conseguirem desenvolver o poder de ver estas coisas sobre as quais escrevem tão facilmente, poderemos esperar algumas revelações muito maravilhosas e belas.

É este um dos *sidhis* ou poderes descritos nos livros orientais que serão acrescentados ao indivíduo que se dedique ao aperfeiçoamento espiritual, ainda que o nome que lhe é dado nesses livros possa não ser imediatamente compreendido. Ali é citado como "o poder de nos tornarmos grandes ou pequenos conforme quisermos", e a razão de o fato ser descrito em expressões que parecem exatamente invertê-lo é que, na verdade, o método pelo qual este feito se consegue é precisamente o que esses livros antiquíssimos indicam. É pelo emprego de um maquinismo visual temporário de uma pequenez inconcebível que o mundo do infinitamente pequeno tão nitidamente se observa; e, do mesmo modo (ou, antes, seguindo o método oposto), é por um aumento enorme e temporário do tamanho do maquinismo visual que se torna possível alargar o alcance da nossa vista – no sentido físico tanto como, esperemos, no sentido moral – para além de tudo quanto a ciência tem concebido como possível ao homem. De modo que a alteração no tamanho se dá realmente no instrumento da consciência do observador, e não em qualquer coisa fora dele; e o velho livro oriental expôs, afinal, a questão com mais justeza do que nós.

A psicometria e a dupla-visão *in excelsis* estariam também entre as faculdades que o nosso observador possuiria; mas dessas trataremos mais adequadamente em outro capítulo, visto que, em quase todas as suas manifestações, implicam a clarividência quer no espaço, quer no tempo.

Indiquei, agora, ainda que em linhas mais gerais, o que um observador *treinado*, possuindo a plena visão astral, veria no mundo imensamente mais vasto que essa visão lhe abriria; mas nada disse ainda da espantosa alteração na sua atitude mental que resulta da certeza experimental da existência da alma, da sua sobrevivência à morte, da ação da lei do *karma*, e de outros pontos de enorme importância. A diferença entre mesmo a mais profunda convicção intelectual e o conhecimento exato adquirido pela experiência pessoal direta deve ser sentida para poder ser compreendida.

# Capítulo 3

Clarividência simples: Parcial

As experiências do clarividente que não recebeu treinamento – e não se deve esquecer que a essa classe pertencem quase todos os clarividentes europeus – ficarão, porém, em geral, muito aquém do que tentei esboçar; ficarão aquém de muitas e diferentes maneiras: em grau, em variedade, em permanência, e, sobretudo em precisão.

Às vezes, por exemplo, a clarividência de um indivíduo pode ser permanente, mas muito incompleta, abrangendo apenas uma ou duas classes dos fenômenos observáveis; ele poderá possuir algum fragmento isolado de visão superior, sem aparentemente ter outros poderes de visão que deveriam normalmente acompanhar, ou mesmo preceder, tal fragmento. Por exemplo: um dos meus amigos mais íntimos sempre teve o poder de ver o éter atômico e a matéria astral atômica, e de reconhecer sua estrutura, quer em plena luz, quer às escuras, como se estivessem interpenetrando todas as outras coisas; e, contudo, raríssimas vezes tem conseguido ver entidades cujos corpos sejam compostos dos mais evidentes éteres inferiores ou da mais densa matéria astral, e ainda não é capaz de vê-las permanentemente. Ele simplesmente possui esta faculdade especial, sem haver nenhuma razão que explique esse dom, ou alguma relação reconhecível entre ela e outra coisa qualquer; e, além de provar-lhe a existência destes planos atômicos e de demonstrar-lhe a sua estrutura, é difícil calcular para que lhe serve atualmente tal faculdade. Seja como for, a faculdade aí está, e é prova de que coisas maiores virão – de que poderes maiores ainda aguardam para desenvolver-se.

Há muitos casos semelhantes – semelhantes, quero dizer, não na posse daquela forma especial de visão (que é única na minha experiência), mas em revelar o desenvolvimento de uma pequena parte da plena e nítida visão dos planos astral e etérico. Em nove casos em cada dez, porém, esta clarividência parcial carecerá, também, de precisão – isto é, haverá nela uma grande parte de impressões vagas e de meras deduções, em vez da nítida definição e clara certeza do indivíduo *treinado* na clarividência. Exemplos deste tipo encontram-se, frequentemente, sobretudo entre aqueles que se proclamam como "clarividentes testados e profissionais".

Existem, também, os indivíduos que são apenas temporariamente clarividentes em certas condições especiais. Entre estes há várias subdivisões, porque há indivíduos que podem reproduzir, quando querem, o estado de clarividência mediante a reconstrução das mesmas condições, ao passo que há outros em quem ela se dá esporadicamente, sem referência palpável ao que os cerca, e ainda outros em quem a faculdade se revela apenas uma ou duas vezes em toda a vida.

À primeira destas subdivisões pertencem aqueles que são clarividentes apenas quando em transe mesmérico[14], e que, quando não estão em tal transe, são totalmente incapazes de ver ou ouvir qualquer coisa de anormal. Estes podem por vezes atingir grandes alturas de conhecimento, e ser extraordinariamente precisos nas

---

[14] O mesmerismo, originado com a atividade do Dr. Franz Anton Mesmer (1734-1815), foi precursor do hipnotismo. Diferia do hipnotismo porque além do efeito de sugestão mental, era usado como método de cura pela manipulação de uma força que Mesmer chamava de magnestismo animal (frequentemente identificado com o *prána* dos hindus e o *chi* dos chineses). E era capaz de induzir a fenômenos não usuais, incluindo habilidades telepáticas, paranormais. Segundo Helena Blavatsky, Mesmer foi um iniciado da Fraternidade "Frates Lucis" e de "Luxor".

suas indicações, mas quando assim acontece é que, em geral, estão seguindo um curso regular de educação clarividente, ainda que, por uma razão qualquer, não possam por enquanto livrar-se sem auxílio do peso da vida terrena.

Na mesma classe poderemos incluir aqueles – na sua maioria orientais – que adquirem uma visão temporária apenas pela influência de certas drogas, ou mediante a prática de certos processos. Às vezes hipnotizam-se pela repetição do processo e nessa condição tornam-se até certo ponto clarividentes; as mais das vezes, porém, apenas se reduzem a uma condição passiva, na qual qualquer outra entidade os pode obcecar e falar através deles. Por vezes, ainda, as cerimônias ou os ritos que empregam não visam de modo algum a atingir a si próprios, mas apenas a invocar qualquer entidade astral que lhes dê a informação desejada; mas isso, é claro, não passa de um caso de magia, e não de clarividência. Tanto as drogas como os ritos são métodos que devem ser enfaticamente afastados por quem quiser aproximar-se da clarividência pelo seu lado superior, e usá-la para seu progresso e para auxílio de outrem. Os bruxos da África Central e alguns dos *shamans* tártaros são bons exemplos deste tipo.

Aqueles a quem certa dose de clarividência aconteceu apenas ocasionalmente, e sem relação alguma com os seus desejos, têm sido muitas vezes pessoas histéricas ou altamente nervosas, em quem esta faculdade era apenas, em grande parte, um dos sintomas de uma doença. O seu aparecimento mostrava que o instrumento físico estava a tal ponto enfraquecido que já não constituía sequer um obstáculo a certo grau de visão astral ou etérica. Um exemplo extremo desta classe é o indivíduo que se alcooliza ao ponto de atingir o *delirium tremens*, e que, na condição de ruína física absoluta e impura excitação psíquica produzida pelos estragos dessa terrível doença, se torna temporariamente capaz de ver algumas das hediondas entidades elementais e outras de que se cercou no longo decurso de sua bestial degradação. Há, porém, outros casos em que o poder de visão tem aparecido e desaparecido sem relação aparente com o estado da saúde física; mas o mais provável é que, mesmo nesses casos, se tivessem sido observados bem de perto, não teria sido impossível notar qualquer alteração na condição do duplo etérico.

Aqueles que em toda a sua vida tiveram apenas um momento de clarividência constituem um grupo difícil de classificar cabalmente, por causa da grande diversidade das circunstâncias que contribuíram para isso. Há muitos deles em quem essa experiência se deu em algum dos momentos culminantes de sua vida, quando se compreende bem que houvesse uma exaltação temporária suficiente das faculdades para explicar esse poder.

No caso de outra subdivisão destes, a experiência única consiste em ver uma aparição, que na maioria dos casos é de um parente ou amigo que está prestes a morrer. Temos aqui que escolher entre duas possibilidades, e em qualquer delas o desejo forte do moribundo é a força impulsora. Essa força pode tê-lo tornado capaz de se materializar por um momento, e nesse caso não seria preciso clarividência para vê-lo; ou, com maior probabilidade, pode ter agido mesmericamente sobre o observador, momentaneamente apagando a sua sensibilidade física e estimulando a sua sensibilidade superior. Em qualquer dos casos a visão é o produto das circunstâncias, e não se repete simplesmente porque as condições necessárias não se repetem.

Permanece, porém, certo número de casos insolúveis em que se trata de um caso único de indiscutível clarividência, tratando-se, contudo, de circunstâncias inteiramente triviais e sem importância. Acerca destes casos só podemos levantar hipóteses; as condições que os governam não pertencem evidentemente ao plano físico, e seria preciso que examinássemos separadamente cada caso antes que pudéssemos dar qualquer opinião segura sobre as suas causas.

Em alguns deles, pareceu que uma entidade astral estava se esforçando para fazer uma comunicação, e não conseguia transmitir ao indivíduo senão um detalhe sem importância dessa comunicação – a parte significativa e útil do que queria transmitir, por qualquer razão, não conseguia penetrar na consciência desse indivíduo.

Na investigação dos fenômenos de clarividência, todos estes tipos e muitos outros serão encontrados, e não faltarão alguns casos de simples alucinação, que terão de ser rigorosamente excluídos da lista de exemplos. O estudioso de um assunto destes precisa ter um fundo inesgotável de paciência e de perseverança, mas, se continuar com tenacidade, começará a perceber vagamente a ordem detrás do caos, e pouco a pouco irá tendo alguma noção das grandes leis que regem toda a evolução.

Muito o auxiliará nesses estudos a adoção da ordem que acabamos de seguir – isto é, se procurasse inicialmente familiarizar--se, tanto quanto possível, com os fatos verdadeiros referentes aos planos de que trata a clarividência comum. Se aprender o que se pode realmente ver com a visão astral e etérica, e quais são as suas respectivas limitações, então terá, por assim dizer, uma medida pela qual poderá avaliar os casos que observar. Considerado que todos os casos de visão parcial devem necessariamente entrar para qualquer escaninho desta classificação, o estudioso, se tiver sempre presente a linha geral do esquema, verá que lhe é relativamente fácil, com alguma prática, classificar os casos que venha a encontrar.

Até agora não dissemos nada quanto às possibilidades ainda mais maravilhosas da clarividência no plano mental, nem, na verdade, é preciso dizer muito a esse respeito, visto ser extremamente improvável que o investigador encontre casos desses, exceto entre alunos *treinados* em qualquer das mais altas escolas de ocultismo. Para eles essa visão abre ainda outro mundo, inteiramente novo, muito mais vasto do que todos os outros abaixo dele – um mundo onde tudo quanto podemos imaginar de glória e de esplendor supremos é apenas o normal da vida. Alguns detalhes a respeito desta maravilhosa faculdade, da felicidade espantosa que acarreta, das suas magníficas oportunidades para aprender e trabalhar constam do sexto de nossos *Manuais Teosóficos*, que o estudioso pode consultar.

Tudo o que esse plano tem a dar – tudo, pelo menos, quanto ele pode assimilar – está ao alcance do aluno *treinado*, mas que não passa da mais vaga das possibilidades para o clarividente sem formação. Isso tem sido feito em transe mesmérico, mas o caso é de uma raridade extrema, porque exige qualificações quase sobre-humanas no sentido de alta aspiração espiritual e absoluta pureza de pensamento e de intenção tanto da parte do sujeito quanto do operador.

A tal tipo de clarividência e, ainda mais, àquele que pertence ao plano imediatamente superior, o nome de visão espiritual pode na verdade ser dado; e, visto que todo o mundo celestial, para o qual ele nos abre os olhos, nos cerca aqui e agora, é correto que ao mencioná-lo, ligeiramente, neste contexto o façamos sob o título de clarividência simples, ainda que se torne necessário tornar a aludir a esse poder quando tratarmos da clarividência no espaço, da qual passamos a falar.

Capítulo 4

Clarividência no espaço: Intencional

Nós a definimos como sendo a capacidade de ver acontecimentos ou cenas afastadas do vidente no espaço e longe demais para a observação usual. Os casos desta visão são tantos e tão variados que achamos ser desejável classificá-los um pouco mais detalhadamente. Não importa muito qual o critério que utilizemos para tal classificação, desde que ele seja suficientemente amplo para incluir todos os casos que encontremos; talvez um critério cômodo seja o de agrupá-los nas grandes divisões de clarividência intencional e não intencional no espaço, com uma classe intermediária, que pode ser descrita como semi-intencional – um título curioso, mas que explicarei adiante.

Como anteriormente, começarei por dizer o que é possível neste sentido ao vidente integralmente *treinado*, e tentarei explicar como opera essa faculdade e dentro de que limites se revela. Depois disso, estaremos em melhor situação para tentar compreender os múltiplos exemplos de visão parcial e *não treinada*. Consideremos em primeiro lugar a clarividência intencional.

É evidente, a partir do que foi dito anteriormente sobre o poder de visão astral, que qualquer pessoa que a possua completamente será capaz de, por meio dela, ver quase tudo o que quiser neste mundo. Os mais recônditos lugares estarão abertos a seu olhar, e não haverá para ela obstáculos intermediários, devido à mudança no seu ponto de vista; de modo que, se lhe concedermos o poder de se deslocar de um lado para o outro com o corpo astral, ela poderá, sem dificuldade, ir a toda a parte e ver tudo dentro dos limites do planeta. De fato, isso lhe é em grande parte realmente possível sem que precise deslocar o seu corpo astral, como veremos adiante.

Consideremos um pouco mais de perto os métodos pelos quais esta visão superfísica pode ser empregada para observar acontecimentos que estão acontecendo a distância. Quando, por exemplo, um indivíduo aqui na Inglaterra vê nos seus mínimos detalhes qualquer coisa que está acontecendo no momento na Índia ou na América, como é que isso se dá?

Apareceu uma hipótese engenhosíssima para explicar o fenômeno. Foi sugerido que cada objeto esteja perpetuamente emitindo radiações em todas as direções, em alguns aspectos semelhantes aos raios de luz, embora infinitamente mais tênues, e que a clarividência não passa do poder de ver por meio destas radiações mais sutis. Nesse caso, a distância não constituiria obstáculo à vista, pois todos os objetos intermediários seriam penetráveis por estes raios, e estes poderiam entrecruzar-se até o infinito em todas as direções sem se embrulharem, exatamente como acontece às vibrações da luz comum.

Ora, ainda que não seja esta a maneira de operar da clarividência, a teoria é, ainda assim, perfeitamente verdadeira na maioria dos seus postulados. Não há dúvida de que cada objeto está constantemente irradiando em todas as direções, e é precisamente deste modo, ainda que num plano superior, que os registros *ākāshicos* parecem ser formados. Será necessário tratarmos destes registros na secção seguinte, e por isso basta, por enquanto, que apenas os mencionemos. Os fenômenos de psicometria dependem também destas irradiações, como será explicado adiante.

Há, porém, certas dificuldades práticas no uso destas vibrações etéricas (porque é isso, obviamente, o que elas são) como meio de ver qualquer coisa que esteja acontecendo a distância. Os objetos interpostos não são inteiramente transparentes, e como os atores na cena que o experimentador quisesse observar seriam pelo menos tão transparentes como esses, é evidente que se correria o risco de uma séria confusão.

A dimensão adicional que entraria em jogo se as emanações sentidas fossem astrais, em vez de etéricas, afastaria algumas das dificuldades, mas, por seu turno, traria novas complicações, de outro gênero; de modo que, para fins práticos, ao tentarmos compreender a clarividência, o melhor será que afastemos esta hipótese das radiações e passemos a considerar os métodos de visão a distância que presentemente estão ao alcance do estudioso deste assunto. Veremos que esses métodos são cinco, dos quais quatro são na verdade propriedades da clarividência, ao passo que o quinto não entra propriamente nessa classe, visto que pertence ao domínio da magia. Comecemos por este, para que desde já o afastemos.

1. *Pelo auxílio de um espírito da natureza.* – Este método não implica necessariamente a posse de qualquer faculdade psíquica da parte do experimentador; basta que ele saiba como fazer com que qualquer habitante do mundo astral o sirva nas suas investigações. Isso pode ser feito quer por invocação, quer por evocação; isto é, o operador pode, ou persuadir, por meio de orações e ofertas, o seu auxiliar astral a dar-lhe o auxílio de que carece, ou obrigá-lo a fazê--lo pelo exercício de uma vontade altamente desenvolvida.

Este método tem sido muito empregado no Oriente (onde a entidade utilizada é em geral um espírito da natureza) e o foi na velha Atlântida, onde os "senhores do rosto negro" empregavam para este fim uma variedade altamente especializada e estranhamente venenosa de elementais artificiais. Por vezes obtém-se informação da mesma maneira nas sessões espíritas hodiernas, mas nesse caso o mensageiro empregado é mais frequentemente um indivíduo recém-morto funcionando com maior ou menor liberdade no plano astral – ainda que por vezes seja um amável espírito da natureza, que se diverte fazendo-se passar por um parente morto de alguém. De qualquer maneira, como já dissemos, este método não é clarividente, mas sim mágico; e se o citamos aqui, é apenas para que o leitor não fique confuso ao querer classificar um ou outro caso do seu emprego em qualquer das seções seguintes.

2. *Por meio de uma corrente astral.* – Esta é uma expressão que tem sido empregada frequentemente, e sem grande precisão, na nossa literatura teosófica a fim de abranger uma grande variedade de fenômenos, entre os quais aqueles que vou explicar. O que o estudioso, que adota este método, realmente faz, não é tanto pôr em movimento uma corrente na matéria astral, mas erguer uma espécie de telefone temporário por meio de tal corrente.

É impossível dar aqui qualquer explicação detalhada da física astral, nem eu tenho os conhecimentos necessários para isso; basta, porém, que eu diga que é possível montar na matéria astral uma nítida linha de comunicação que sirva de fio telegráfico para transportar vibrações, por meio das quais tudo o que está acontecendo na outra extremidade pode ser visto. Esse fio é estabelecido, entenda-se bem, não por uma projeção direta através do espaço de matéria astral, mas por uma ação tal sobre uma linha (ou, antes, muitas linhas) de partículas dessa matéria que as torne capazes de formar um fio condutor para vibrações do gênero desejado. Esta ação preliminar pode ser conseguida de duas maneiras – quer pela transmissão de energia de partícula a partícula, até que a linha ou fio esteja formado, ou pelo emprego de uma força de um plano superior que seja capaz de agir simultaneamente sobre toda a linha. É claro que este último método implica um desenvolvimento muito maior, visto exigir o conhecimento de forças de um nível muito superior e o poder de usá-las; de modo que o indivíduo que pudesse construir a sua linha deste modo não precisaria, para seu próprio uso, de linha nenhuma, visto que poderia ver de uma maneira muito mais fácil e completa empregando uma faculdade muito mais elevada.

Mesmo a operação puramente astral, aliás mais simples, é difícil de descrever, embora bastante fácil de executar. Pode-se dizer que é mais ou menos do gênero da magnetização de uma barra de aço; porque consiste no que podemos denominar de polarização, por um esforço da vontade humana, de uma quantidade de linhas paralelas de átomos astrais indo desde o operador à cena que deseja observar. Todos os átomos assim atingidos ficam, durante a operação, com os seus eixos rigidamente paralelos uns aos outros, de modo que formam uma espécie de tubo temporário pelo qual o clarividente pode olhar. Este método tem a desvantagem do fio telegráfico ser suscetível de dar defeito ou mesmo de ser destruído, por qualquer corrente astral bastante forte que possa atravessar seu caminho; mas se o esforço de vontade inicial for suficientemente nítido, essa seria uma contingência que ocorreria poucas vezes.

A visão de uma cena distante obtida por meio desta "corrente astral" tem fortes semelhanças com a que temos através de um telescópio. As figuras humanas parecem em geral muito pequenas, como as vistas num palco distante, mas, apesar do seu pequeno tamanho, são tão nítidas como se estivessem perto. Às vezes é possível, por este meio, não só ver, mas também ouvir, o que se está passando; mas, como na maioria dos casos tal não acontece, devemos considerar esse fenômeno antes como a manifestação de um poder adicional do que como um corolário obrigatório da faculdade da visão.

Notar-se-á que neste caso o vidente, em geral, não abandona o seu corpo físico; não há espécie alguma de projeção do seu corpo astral ou de qualquer parte de si em direção àquilo para que esteja olhando; ele simplesmente fabrica para si um telescópio astral temporário. Por isso está, até certo ponto, de posse das suas faculdades físicas mesmo no momento de examinar a cena distante; por exemplo, estará de posse da sua voz, de modo que lhe será possível descrever o que está vendo, no próprio momento em que o está vendo. A consciência do indivíduo está, de fato, ainda do lado de cá do fio.

Este fato, todavia, tem as suas limitações e as suas vantagens, e essas limitações também em muito se parecem com as do indivíduo que emprega um telescópio no plano físico. O experimentador, por exemplo, não pode deslocar esse ponto de vista; o seu telescópio tem, por assim dizer, certo campo de visão que não pode ser aumentado ou alterado; ele está olhando para a cena de determinado lado, e não pode de repente virá-la e ver como ela é do lado de lá. Se tiver energia psíquica suficiente, pode largar esse telescópio e fabricar para si outro, inteiramente novo, que lhe permita ver a cena dum modo já um pouco diferente; mas este não é um processo que seja provavelmente adotado na prática.

Mas poderá ser questionado, se o mero fato de ele estar empregando a visão astral não deveria dar-lhe o poder de ver a cena de todos os lados simultaneamente. Assim seria, se ele estivesse empregando essa visão do modo normal sobre um objeto que lhe estivesse próximo – dentro do seu alcance astral, por assim dizer; mas a uma distância de centenas de milhares de quilômetros, o caso toma uma feição muito diferente. A visão astral nos dá a vantagem de uma nova dimensão, porém, mesmo assim, ainda há a chamada "posição" nessa dimensão, e ela é, naturalmente, um fator importante que limita o uso dos poderes do seu plano. A nossa visão tridimensional comum nos dá o poder de vermos simultaneamente todos os pontos do interior de uma figura bidimensional, como, por exemplo, um quadrado, mas, para podermos fazê-lo, esse quadrado tem de estar razoavelmente próximo dos nossos olhos; a mera dimensão adicional de nada servirá a um indivíduo em Londres se quiser examinar um quadrado em Calcutá.

A visão astral, quando é limitada por ser dirigida através do que é praticamente um tubo, sofre limitações quase idênticas às da visão física em circunstâncias análogas; embora se for completamente possuída, consiga revelar, mesmo a tão grande distância, as auras, e, portanto, as emoções e a maioria dos pensamentos dos indivíduos observados.

Há muita gente para quem este tipo de clarividência se torna muito mais fácil se tiverem à mão qualquer objeto físico de que se possam servir como ponto de partida para seu tubo astral – um foco conveniente para a sua força de vontade. Uma esfera de cristal é o mais usual e o mais cômodo desses focos, visto que tem a vantagem adicional de conter qualidades que excitam a atividade psíquica; mas outros objetos também são empregados, aos quais teremos ocasião de nos referir quando viermos a tratar da clarividência semi-intencional.

Em relação a esta forma de clarividência pela corrente astral, veremos que há médiuns que não são capazes de empregá-la, salvo quando sob influência mésmerica. O que há de peculiar neste caso é que há dois tipos desses médiuns – um em que o próprio indivíduo, uma vez liberto, é capaz de fazer o telescópio, e outro em que é o magnetizador quem constrói o telescópio, e o indivíduo é capaz de ver apenas através dele. Neste último caso, trata-se de um indivíduo que não tem vontade suficiente para construir, ele próprio, o tubo, e de um operador que, ainda que de posse dessa vontade, não é, por sua vez, clarividente, porque, se o fosse, seria capaz de visualizar pelo próprio telescópio sem precisar de auxílio.

Por vezes, ainda que raramente, o tubo possui outro atributo de um telescópio – o de aumentar o tamanho dos objetos em observação até que eles pareçam de tamanho natural. Está claro que os objetos têm sempre de ser aumentados até certo ponto, pois, se não o fossem, seriam de todo invisíveis, mas, em geral, as dimensões são determinadas pelo tamanho do tubo astral, e toda a cena não passa de uma fita cinematográfica mínima. Nos poucos casos em que as figuras aparecem no tamanho natural, o mais provável é que se trate dos primeiros indícios de uma faculdade inteiramente nova; mas quando isso acontece, é preciso uma observação cuidadosa para que não sejam confundidos com os casos da seção que segue.

3. *Pela projeção de uma forma de pensamento.* – A capacidade de usar este método de clarividência implica um desenvolvimento um pouco mais avançado do que o último analisado, visto que requer certa dose de domínio do plano mental. Todos os estudiosos de Teosofia sabem que o pensamento toma uma forma, pelo menos no plano a que pertence, e, na grande maioria dos casos, também no plano astral; mas talvez não seja tão conhecido o fato de que, se

um indivíduo pensar fortemente que está num lugar qualquer, a forma assumida por esse pensamento será uma reprodução do próprio pensador que aparecerá no referido local.

Essencialmente, essa forma tem de ser composta de matéria do plano mental, mas em muitos casos também atrairia para seu redor matéria do plano astral, e assim se aproximaria mais da visibilidade. Há, de fato, muitos casos em que se torna visível à pessoa em quem pensou – o que provavelmente acontece pela influência mesmérica inconsciente transmitida pelo pensador inicial. Esta forma de pensamento, porém, não levaria em si nada da consciência do pensador. Uma vez emanada dele, seria normalmente uma entidade inteiramente distinta – não, é certo, sem relação nenhuma com o seu criador, mas separada dele pelo menos no que diz respeito à possibilidade de receber qualquer impressão.

Este terceiro tipo de clarividência consiste, pois, no poder de manter tal ligação com uma forma de pensamento recém-emitida, e tal poder sobre ela, que seja possível receber impressões por meio dela. As impressões que a forma receber serão, neste caso, transmitidas ao pensador – não, como antes, por meio do fio telegráfico astral, mas por vibração simpática. Num caso perfeito deste gênero de clarividência, é exatamente como se o pensador projetasse uma parte da sua consciência para dentro da forma-pensamento, e a usasse como uma espécie de guarita, de onde pudesse observar. Vê quase tão bem como se estivesse ele próprio no lugar onde está a sua forma-pensamento.

As figuras que estiver observando parecer-lhe-ão de tamanho natural e próximas, em lugar de pequenas e distantes, como no caso anterior; e verá que lhe é possível deslocar o seu ponto de vista, se assim o desejar. A clariaudição acompanha talvez menos frequentemente este tipo de clarividência do que o anterior, mas o seu lugar é até certo ponto tomado por uma espécie de percepção mental dos pensamentos e das intenções daqueles que estão sendo vistos.

Visto que a consciência do indivíduo está ainda no corpo físico, ser-lhe-á possível, mesmo no momento em que estiver exercendo esta faculdade, ouvir e falar, desde que o possa fazê-lo sem quebra da sua atenção. No momento em que a concentração do seu pensamento falhar, toda a visão desaparecerá, e ele terá que construir uma nova forma-pensamento antes de poder continuar. Os casos em que este gênero de visão acontece, com qualquer grau de perfeição, a indivíduos não treinados, como é de supor, são mais raros do que com respeito ao tipo anterior, devido à capacidade de domínio mental que é preciso e a natureza em geral mais sutil das forças que entram em ação.

4. *Viajando no corpo astral.* – Trata-se agora de uma variedade inteiramente nova de clarividência, na qual a consciência do vidente já não permanece no seu corpo físico ou em íntima relação com ele, mas transporta-se nitidamente à cena que está examinando. Ainda que tenha, sem dúvida, maiores perigos para o vidente não treinado do que qualquer dos métodos já descritos é, ainda assim, a melhor e mais completa forma de clarividência que lhe é possível, porquanto aquela forma imensamente superior, de que trataremos em quinto lugar, não é possível senão aos estudantes altamente *treinados*.

Neste caso o corpo do indivíduo está ou em sono ou em transe, e os seus órgãos não são, portanto, utilizáveis enquanto a visão dura, de modo que toda a descrição do que se vê, e todas as perguntas a propósito de detalhes, têm de ficar para quando o viajante regressar ao plano físico. Mas a visão desta ordem é muito mais completa e mais perfeita; o indivíduo ouve, assim como vê, tudo quanto perante ele se passa e pode mover-se livremente, conforme queira, dentro dos limites larguíssimos do plano astral. Pode ver e estudar com vagar todos os outros habitantes desse plano, de modo que o grande mundo dos espíritos da natureza (do qual o tradicional país das fadas não é senão uma parte pequeníssima) lhe é acessível, e até aquele de alguns dos *devas* inferiores.

Ele tem também a enorme vantagem de poder, por assim dizer, tomar parte nas cenas que se passam à sua vista, e de conversar livremente com essas várias entidades astrais, das quais pode obter muitas informações curiosas e interessantes. Se, além disso, puder aprender a materializar-se (o que não apresenta grande dificuldade para ele, desde que tenha adquirido essa habilidade), poderá tomar parte em acontecimentos físicos ou conversas mantidas a grande distância, e mostrar-se a um amigo ausente, sempre que quiser.

Além disso, tem também a faculdade de poder procurar o que deseja. Por meio das outras variedades de clarividência, que antes descrevemos, ele realmente só poderia encontrar um lugar ou uma pessoa se já os conhecesse, ou então quando era posto *en rapport* com eles pelo contato com qualquer coisa fisicamente a eles relacionada, como na psicometria. É verdade que pelo terceiro método, é possível certo movimento, mas o processo é lento e difícil, exceto para distâncias muito pequenas.

Pelo uso do corpo astral, porém, um indivíduo pode deslocar-se livre e prontamente em qualquer direção, pode (por exemplo) encontrar sem dificuldade um ponto apontado num mapa, mesmo sem prévio conhecimento do lugar ou razão especial para estabelecer uma ligação com ele. Pode também com facilidade subir ao ar de modo a obter uma visão de conjunto do país que está examinando, a fim de saber a sua extensão, o contorno das suas costas, ou o aspecto geral da sua paisagem. Na verdade, de todas as maneiras o seu poder e a sua liberdade são muito maiores quando emprega este método do que em qualquer dos casos anteriores.

Um bom exemplo da plena posse desta faculdade é dado pelo Sr. Crowe no seu livro *The Night Side of Nature,* p. 127 (*O Lado Noturno da Natureza*), reportando-se ao escritor alemão Jung Stilling. A história diz respeito a um vidente que teria residido nos arrabaldes da Filadélfia, na América. Os seus hábitos eram solitários e reservados; era um senhor distinto, bondoso e de índole religiosa, e nada era comentado contra o seu caráter, salvo que tinha a reputação de estar de posse de alguns segredos que não eram considerados como sendo totalmente lícitos. Muitas histórias extraordinárias eram contadas a seu respeito, e entre elas a seguinte:

"A esposa de um comandante de navios (cujo marido tinha viajado para a Europa e África, e de quem ela não recebia notícias há muito tempo), muito preocupada com sua segurança, decidiu dirigir-se a esse indivíduo. Tendo ouvido o que ela lhe contou, ele lhe pediu que o desculpasse por um momento, ao fim do qual lhe traria a informação que desejava. Dito isso, entrou para um quarto interior, e ela se sentou aguardando que voltasse; como, porém, ele se demorasse mais do que esperava, ela, na sua impaciência, julgando que ele se esquecera, aproximou-se da porta do outro quarto e espreitou através de uma fresta. Foi grande a sua surpresa quando o viu estendido sobre um sofá, imóvel como se estivesse morto. Achando bom não o interromper, sentou-se outra vez e esperou que ele voltasse. Ao voltar, ele lhe disse que o marido não tinha podido lhe escrever por várias razões, que enumerou, mas que no momento estava num café em Londres e dentro em breve regressaria à América".

"O comandante chegou pouco tempo depois, e, como a esposa lhe ouvisse relatar, sobre o seu prolongado silêncio, precisamente as mesmas razões que o vidente tinha relatado, ficou com um grande desejo de averiguar a verdade do resto da informação. Isto conseguiu, porque o capitão, mal encontrou o mago, disse que já o tinha visto certo dia, num café de Londres, e que ele lhe dissera que sua esposa estava muito preocupada com ele, e que ele (comandante) tinha respondido dando as razões por que não escrevera e acrescentando que em breve embarcaria para a América. Depois perdera de vista o estranho, no meio da multidão, e nada mais sabia a seu respeito".

Não temos agora, é claro, maneira alguma de saber que razões tinha Jung Stilling para crer na verdade desse caso, ainda que ele se declare plenamente satisfeito com as fontes onde o colheu; mas tanta coisa parecida tem ocorrido que não há razão para duvidar de sua autenticidade. O vidente deve, porém, ter desenvolvido a sua faculdade, por si, ou tê-la aprendido em qualquer outra escola que não seja aquela de onde se deriva a maior parte de nossa informação teosófica; porque, no nosso caso, há uma regra bem explícita proibindo expressamente aos alunos que deem qualquer manifestação desse poder que possa ser nitidamente verificada de um lado e de outro, como o caso citado, e constituir aquilo a que se chama um "fenômeno". Que esta regra é realmente correta prova-o, perante todos quantos conheçam alguma coisa da história da nossa Sociedade, o resultado desastroso que produziu uma pequeníssima e temporária quebra dela.

Citei alguns casos modernos, quase iguais ao que se relatou, no meu livro *Auxiliares Invisíveis*. O caso de uma senhora que conheço muito bem, e frequentemente assim aparece a amigos ausentes, é citado pelo Sr. Stead em *Real Ghost Stories*, p. 89 *(Histórias Verdadeiras de Espectros)*; e o Sr. Andrew Lang relata, no seu livro *Dreams and Ghosts*, p. 89 *(Sonhos e Espectros)*, como o Sr. Cleave, então em Portsmouth, apareceu intencionalmente duas vezes a uma senhora que estava em Londres, assustando-a bastante. Há um grande número de testemunhos sobre o assunto, como pode verificar quem o quiser estudar a sério.

A realização de visitas astrais intencionais parece muitas vezes tornar-se possível a pessoas que seriam incapazes de fazê-las em qualquer outra ocasião, quando os princípios estão se desligando com a aproximação da morte. Há ainda mais exemplos desta classe do que da outra; resumo aqui um, muito bom, citado pelo Sr. Andrew Lang, à p. 100 do livro acima citado – um exemplo de que o autor diz que "não há muitas histórias que tenham em seu favor um testemunho tão completo".

"Mary, esposa de John Goffe, de Rochester, tendo caído de cama com uma longa doença, foi transportada para casa de seu pai, em West Mailing, a umas nove milhas de distância de sua própria casa".

"Na véspera de sua morte, tornou-se impacientemente desejosa de ver os seus dois filhos, que tinha deixado em casa, aos cuidados de uma ama. Mas estava doente demais para que a pudessem transportar, e entre uma e duas horas da madrugada caiu em transe. Uma viúva, Sra. Turner, que estava velando essa noite ao pé do leito, diz que os seus olhos estavam abertos e fixos e o queixo caído. A Sra. Turner pousou a mão sobre sua boca, mas não pôde sentir respiração alguma. Julgou-a num ataque, nem tinha a certeza se ela estava viva ou morta".

"Na manhã seguinte, a moribunda disse à mãe que tinha estado em casa, com os filhos, explicando: "Estive com eles a noite passada, enquanto dormia".

"A ama, uma viúva chamada Alexander, que estava em Rochester, afirma que um pouco antes das duas horas da madrugada viu a imagem da dita Mary Goffe sair do quarto ao lado, onde a mais velha das duas crianças estava dormindo, (a porta entre os dois quartos ficara aberta), e demorar-se cerca de um quarto de hora à beira de seu leito, onde, a seu lado, estava dormindo a criança mais nova. Os olhos moviam-se e a boca também, mas não disse nada. A ama acrescenta que estava perfeitamente acordada; o dia já clareara, pois esse era um dos dias mais longos do ano. Sentou-se na cama e olhou fixamente para a aparição. Nessa altura, ouviu o relógio da ponte dar duas horas, e pouco depois se dirigiu à imagem, dizendo: "Em nome do Pai, do Filho e do Espírito Santo, o que és tu"? Então a aparição afastou-se e desapareceu; a ama vestiu-se e seguiu-a, mas não pôde ver o que foi feito da visão".

A ama parece ter ficado mais assustada com o desaparecimento da imagem, do que com sua presença, porque depois disso teve medo de ficar dentro de casa, e passou o resto do tempo até às seis horas a passear do lado de fora de um lado para o outro. Quando os vizinhos acordaram, ela contou-lhes tudo, e eles, evidentemente, disseram que ela tinha sonhado aquilo tudo; ela, como é natural, repudiou calorosamente essa ideia, mas não pôde conseguir que se desse algum valor às suas palavras, a não ser quando chegou a notícia do que se tinha passado do outro lado, em West Malling, e então houve quem pensasse que talvez a história não fosse inteiramente um sonho.

O que há de notável neste caso é que foi preciso a mãe passar do sono comum para a condição mais profunda do transe, antes que pudesse conscientemente visitar os filhos; há, porém, vários casos análogos que podem ser encontrados entre o vasto número dos que são relatados nos livros que tratam de tal assunto.

Dois outros casos de tipo exatamente semelhante – em que uma mãe moribunda, desejando ardentemente ver os seus filhos, cai num sono profundo, visita-os e volta a si, dizendo que os visitou – são contados pelo Dr. F. G. Lee. Em um deles a mãe, moribunda, no Egito, aparece aos filhos em Torquay, e é vista, nitidamente e em plena luz do dia, por todos os cinco filhos e também por uma criada que os acompanhava. Veja *Glimples of the Supernatural*, vol. ii, p. 64 (*Vislumbres do Sobrenatural*). No outro uma senhora *Quaker*, moribunda em Cockermouth, é vista e reconhecida em pleno dia em Seattle pelos seus três filhos, sendo o resto da história mais ou menos semelhante ao da outra *Glimpses in the Twilight*, p.94 (*Vislumbres no Crepúsculo*). Ainda que estes casos sejam menos conhecidos do que o de Mary Goffe, a evidência em favor de sua autenticidade parece ser tão válida como naquele, como se verá pelos testemunhos aduzidos pelo reverendo autor dos livros de onde os citamos.

O homem que possui completamente este quarto tipo de clarividência tem a seu dispor muitas e grandes vantagens, mesmo além das que já referimos. Não só pode visitar, sem trabalho ou despesa, todos os lugares famosos e belos da terra, mas, se é um erudito, considerai o que vale para ele o poder de visitar todas as bibliotecas do mundo! Que prazer não deve dar ao indivíduo de mentalidade científica o poder assistir a tantos processos da química secreta da natureza, ou ao filósofo o ver revelado a seus olhos muito e muito mais, do que antes sabia sobre os mistérios da vida e da morte! Para ele aqueles que saíram deste plano não são mais mortos, mas vivos e ao seu alcance durante muito tempo ainda; para ele muitas das concepções religiosas não são mais matérias de fé, mas de conhecimento. E, além de tudo, ele pode unir-se ao exército dos auxiliares invisíveis e ser útil em grande escala. Sem dúvida, a clarividência, mesmo quando limitada ao plano astral, é um grande benefício para o indivíduo.

Certamente, há também perigos, sobretudo para os não treinados; o perigo das entidades malignas de várias espécies, que podem assustar ou atacar aqueles que perdem a coragem de enfrentá-las corajosamente; o perigo de erros de toda a natureza, de conceber equivocadamente e interpretar mal aquilo que se vê; e, maior do que todos, o perigo de tornar-se vaidoso desse poder e julgar impossível cometer um erro. Mas uma pequena dose de bom senso e de experiência deve proteger o indivíduo destes riscos.

5. *Viajando no corpo mental.* – Trata-se, simplesmente, de uma

forma mais alta, e, por assim dizer, glorificada, do tipo que acabamos de descrever. O instrumento empregado já não é o corpo astral, mas o mental – um instrumento, portanto, pertencente ao plano mental, e tendo em si todas as potencialidades do maravilhoso sentido desse plano, tão transcendente na sua ação e, contudo tão impossível de descrever. Um indivíduo funcionando neste corpo deixa atrás o seu corpo astral, junto com o físico, e se por qualquer razão deseja mostrar-se sobre o plano astral, não manda buscar o seu corpo astral, mas, apenas por um simples ato de vontade, materializa um para o seu fim temporário. Uma materialização astral dessas é chamada às vezes de *māyāvirūpa*, e para formá-la pela primeira vez é em geral preciso o auxílio de um Mestre qualificado.

As enormes vantagens dadas pela posse deste poder são a capacidade de entrar na total glória e beleza da terra superior da felicidade, e a posse, mesmo quando operando no plano astral, do sentido mental, muito mais abrangente, que revela ao estudioso muitas visões extraordinárias de conhecimento, tornando o erro, pode-se dizer quase impossível. Este voo altíssimo, porém, é possível apenas ao indivíduo *treinado*, visto que só depois de uma instrução especial é que um indivíduo no atual estágio evolutivo da humanidade pode aprender a empregar o seu corpo mental como instrumento.

Antes de abandonarmos o assunto da clarividência plena e intencional, será bom dedicar algumas palavras para responder a uma ou duas perguntas sobre suas limitações, que constantemente ocorrem aos estudantes. Muitas vezes nos perguntamos se será possível ao vidente encontrar qualquer pessoa com quem deseje comunicar-se, esteja ela viva ou morta?

A resposta a esta pergunta terá de ser uma afirmativa condicional. Sim, será possível encontrar qualquer pessoa, se o experimentador puder, de um modo ou de outro, colocar-se *en rapport* com essa pessoa. Seria inútil lançar-se vagamente no espaço à procura de um estranho entre os milhões que nos cercam, sem ter qualquer indicação para encontrá-lo; mas, por outro lado, uma pista muita pequena seria geralmente suficiente.

Se o clarividente sabe qualquer coisa a respeito do indivíduo que procura, não terá dificuldade em encontrá-lo, porque cada indivíduo tem aquilo a que se pode chamar uma nota musical que o caracteriza – uma nota que é a expressão dele como um todo, produzida talvez por uma espécie de média dos graus de vibração de todos os seus vários instrumentos nos seus respectivos planos. Se o operador conseguir descobrir essa nota e vibrá-la, ela fará, por vibração simpática, com que a atenção do indivíduo, esteja ele onde estiver, seja atraída e provocará nele uma resposta imediata.

Se o homem estiver vivo ou se morreu recentemente não fará diferença nenhuma para o caso, e a clarividência da quinta classe encontrá-lo-á, imediatamente, mesmo entre os inúmeros milhões no mundo celestial, se bem que nesse caso o indivíduo procurado não teria consciência de o estarem observando. Naturalmente, um vidente cuja consciência não seja mais alta do que o plano astral – que empregou, portanto, um dos primeiros métodos de vidência – não será capaz de encontrar um indivíduo no plano mental; mas mesmo assim ele saberá ao menos que o indivíduo procurado *estava* nesse plano, pelo simples fato de a vibração da nota até o nível astral não ter produzido nenhuma resposta.

Se o indivíduo procurado for inteiramente estranho ao operador, este precisará de qualquer coisa relacionada com ele para o pôr na pista – um retrato, uma carta por ele escrita, um objeto que lhe pertenceu e se ache impregnado do seu magnetismo pessoal;

qualquer destas coisas servirá nas mãos de um vidente experiente. Torno a lembrar que não se deve crer que os alunos que aprenderam a usar esta arte têm a liberdade de estabelecer uma espécie de escritório de informações pelo qual possam comunicar-se com parentes perdidos ou mortos. Um recado dado deste lado para um desses poderá ou não ser passado para ele, conforme as circunstâncias, mas, mesmo que fosse, o mais provável é que não se receba resposta, visto que então a transação entraria na categoria de um fenômeno – isto é, qualquer coisa que se poderia provar no plano físico ter sido um ato de magia.

Outra pergunta, que muitas vezes surge, é se no ato de visão psíquica, há qualquer limitação quanto a distância. A resposta parece ser que não deve haver limite senão o dos respectivos planos. Não devemos esquecer que os planos astral e mental da nossa Terra são tão nitidamente seus como a sua atmosfera, ainda que se estendam consideravelmente além dela, mesmo no nosso espaço tridimensional, do que o próprio ar. Por isso a passagem para outros planetas ou a visão detalhada dele não seria possível a qualquer sistema de clarividência relacionado com estes planos. É na verdade perfeitamente possível e fácil ao indivíduo que elevou a sua consciência até o plano *búdico* passar para qualquer dos outros globos pertencentes à nossa cadeia de mundos, mas isso está fora do assunto de que estamos tratando.

Ainda assim, uma boa dose de informação adicional acerca de outros planetas pode ser obtida pelo uso das faculdades clarividentes que descrevemos até agora. É possível tornar a visão enormemente mais clara passando para fora das constantes perturbações da atmosfera terrestre, e também não é difícil aprender como investir-se de um poder muito grande de amplificação, de modo que mesmo pela clarividência usual se pode obter uma quantidade de conhecimentos astronômicos muito interessantes. Mas, no que diz respeito a esta Terra e a seus arredores mais próximos, pode-se dizer que não há limites.

Capítulo 5

Clarividência no espaço: Semi-intencional

Sob este título um pouco estranho, reúno os casos de todos os indivíduos que decididamente se propuseram a ver qualquer coisa, mas sem terem noção do que essa coisa seria, nem domínio sobre a visão depois que as manifestações começaram – Micawbers[15] psíquicos[16], que se colocam numa situação puramente receptiva e passam a esperar que qualquer coisa aconteça. Muitos médiuns de transe entrarão nesta categoria; ou se hipnotizam a si próprios, de qualquer maneira, ou são hipnotizados por qualquer "espírito-guia", passando depois a descrever as visões que por acaso flutuam diante de sua vista. Às vezes, porém, quando neste estado, veem o que se está passando a distância, e assim passam a ter um lugar entre os nossos "clarividentes no espaço".

Mas o grupo maior e mais espalhado destes clarividentes semi-intencionais é o dos vários gêneros de cristalovidentes – aqueles que, como diz o Sr. Andrew Lang, "olham para dentro de uma esfera de cristal, de uma taça, de um espelho, de um pingo de tinta (Egito e Índia), de um pingo de sangue (entre os maoris da Nova Zelândia), de uma vasilha com água (peles-vermelhas), de uma poça de água (Roma e África), de água numa taça de vidro claro

---
[15] Tal qual o personagem Wilkins Micauber, do romance "David Copperfield", de Charles Dickens, em 1850, que era um prisioneiro por dívida, esses sensitivos eram prisioneiros psíquicos, que não podiam escolher qual contato ou visão iriam ter. (N.E.)
[16] Geralmente neste livro, a palavra "psíquico" tem a conotação de sensitivo e não qualquer conotação psicológica. (N.E.)

(em Fez), ou quase qualquer espécie de superfície polida". Em *Dreams and Ghosts*, p. 57 (*Sonhos e Espectros*).

Duas páginas depois o Sr. Lang nos dá um ótimo exemplo da espécie de visão que mais frequentemente se consegue desta maneira. "Eu tinha dado uma esfera de vidro", diz ele, "a uma jovem, Srta. Baillie, que não conseguiu ver quase nada nela. Ela a emprestou a uma amiga, a Srta. Leslie, que viu um sofá antigo, grande, encarnado, coberto de musselina, que veio a encontrar numa casa de campo, que então desconhecia, e dali a dias aconteceu visitar. O irmão da Srta. Baillie, um jovem atleta, zombou destas experiências, levou a esfera para o escritório e daí a pouco reapareceu, mostrando-se um tanto perturbado. Admitiu que tinha tido uma visão – alguém que conhecia num quarto iluminado por um candeeiro. Durante a semana havia de descobrir se tinha acertado ou não. Isso aconteceu num domingo, às cinco e meia da tarde.

Na terça-feira, o Sr. Baillie estava num baile numa cidade a umas quarenta milhas de distância de casa, e encontrou a Srta. Preston. "No domingo", disse ele, "pelas cinco horas e meia, eu a vi; você estava sentada ao pé de um candeeiro de petróleo, com um vestido que nunca a vi usar, uma blusa azul com rendas sobre os ombros; e estava servindo chá para um indivíduo vestido com um terno azul, que estava de costas para mim, de modo que apenas vi a ponta de seu bigode".

"Ora essa! exclamou a Srta. Preston". "Então as cortinas não estavam fechadas!"

"Eu estava em Dulby", respondeu o Sr. Baillie, "e realmente isso era verdade".

É este um caso absolutamente típico de cristalovidência – a

cena absolutamente exata em todos os seus detalhes, como viram, e, contudo, absolutamente sem importância e evidentemente sem significação nenhuma para qualquer das pessoas, a não ser que serviu para provar ao Sr. Baillie que a cristalovidência não era uma pura ilusão. É mais frequente, talvez, as visões terem um caráter romântico – indivíduos em trajes estranhos, ou paisagens muito belas, ainda que em geral desconhecidas.

Ora, qual é a explicação para esta espécie de clarividência? Como acima indiquei, pertence em geral ao tipo de "corrente astral", e o cristal, ou outro objeto qualquer, constitui simplesmente um foco para a força de vontade do vidente, e um ponto de partida conveniente para o seu tubo astral. Há indivíduos capazes de influenciar pela vontade aquilo que veem, isto é, têm o poder de apontar o telescópio para onde desejam; mas a grande maioria apenas pode formar um tubo fortuito e ver simplesmente o que acontece estar ao fim dele.

Às vezes trata-se, como no caso citado, de uma cena relativamente próxima; outras vezes a visão será de uma longínqua paisagem do Oriente; outras, ainda, poderá ser o reflexo de qualquer fragmento de um registro do *ākāsha*[17], e então a cena mostrará figuras com qualquer traje antigo, e o fenômeno pertencerá, portanto, à nossa terceira grande classe, a "clarividência no tempo". Diz-se que visões do futuro também às vezes surgem nos cristais; trata-se de um desenvolvimento de visão a que adiante nos referiremos.

Já vi um clarividente empregar, em vez da superfície brilhante comum, uma superfície baça, preta – produzida por uma mão cheia de carvão em pó num pires. Realmente, parece ter pouca importân-

---

[17] É o Espaço Universal em que está imanente a Ideação eterna do Universo em seus aspectos cambiantes sobre os planos da matéria. Espaço éter, o céu luminoso. Glossário Teosófico. Ed. Ground, São Paulo. (N.E.)

cia o objeto que serve de foco, exceto que o cristal puro tem sobre as outras substâncias a nítida vantagem de o arranjo peculiar de essência elemental ser especialmente excitante para as faculdades "psíquicas".

Parece, porém, provável que nos casos onde um pequeno objeto brilhante é empregado – como um ponto luminoso, ou o pingo de sangue usado pelos maoris – o caso seja, realmente, apenas de auto--hipnotização. Entre nações não europeias, a experiência é muitas vezes precedida ou acompanhada por ritos e invocações mágicas, de modo que é muito provável que a visão que se consiga seja realmente, não a do indivíduo, mas apenas a de qualquer entidade estranha, e assim o fenômeno será apenas um caso de possessão temporária, e não verdadeiramente de clarividência.

Capítulo 6

Clarividência no espaço: Não intencional

Nesta classe podemos reunir todos aqueles casos em que as visões de qualquer acontecimento que se esteja passando a distância surgem inesperadamente e sem qualquer espécie de preparação. Há gente sujeita a este gênero de visões, ao passo que a muitos tal fenômeno acontecerá apenas uma vez em toda a vida. As visões são de todas as espécies e de todos os graus de perfeição, e podem, aparentemente, ser produzidas por várias causas. Às vezes a razão da visão é evidente, e o assunto da maior importância; outras vezes não se pode encontrar razão para ela, e os acontecimentos vistos são dos mais banais e irrelevantes.

Às vezes estes vislumbres da faculdade suprafísica vêm como visões, em vigília; outras vezes revelam-se durante o sono como sonhos vívidos ou frequentemente repetidos. Neste último caso, a visão empregada é, em geral, talvez da espécie que descrevemos na nossa quarta subdivisão da clarividência no espaço, porque o indivíduo que dorme viaja frequentemente no seu corpo astral a um ponto qualquer com o qual as suas afeições ou os seus interesses estejam fortemente relacionados, examinando apenas o que se esteja passando nesse ponto; no outro caso, parece mais provável que se esteja dando o segundo tipo de clarividência, por meio da corrente astral. Mas neste caso a corrente ou tubo é formado de modo inteiramente inconsciente, e é muitas vezes o resultado automático de um pensamento ou uma emoção forte projetados de uma extremidade ou de outra – do vidente ou do indivíduo que é visto. O plano mais simples será o de dar alguns exemplos dos vários gêneros, acrescentando as explicações que pareçam necessárias. O Sr. Stead reuniu um grande e variado número de casos recentes e bem autenticados no seu livro *Histórias Verdadeiras de Espectros*, de onde extrairei alguns dos meus exemplos, resumindo ligeiramente, por vezes, para poupar espaço.

Há casos em que é imediatamente evidente a qualquer estudioso da Teosofia de que o caso excepcional de clarividência foi especialmente produzido por um do grupo a que chamamos os "Auxiliares Invisíveis", a fim de que esse auxílio possa ser prestado a alguém em grande necessidade. A esta classe, sem dúvida, pertence o caso relatado pelo capitão Yonnt, de Napa Valley, Califórnia, ao Dr. Bushnell, no seu livro *Nature and the Supernatural*, p. 14 (*A Natureza e o Sobrenatural*).

"Há seis ou sete anos, numa noite de inverno, ele teve um sonho em que viu o que parecia ser um grupo de emigrantes preso pelas neves das montanhas, e sucumbindo rapidamente ao frio e à fome. Reparou no aspecto da paisagem, caracterizada sobretudo por uma grande parede perpendicular de rochedo branco; viu os homens cortando o que pareciam ser cimos de árvores, que saíam de profundos abismos de neve; ele visualizou perfeitamente as fisionomias das pessoas e a expressão de sua angústia".

"Acordou profundamente impressionado com a nitidez e aparente realidade do sonho. Finalmente voltou a adormecer, e teve novamente o mesmo sonho. De manhã, não conseguiu arrancá-lo de sua mente. Encontrando-se, poucas horas depois, com um velho camarada, caçador, contou-lhe o caso, e ficou ainda mais impressionado quando o outro reconheceu imediatamente a paisagem descrita. Esse camarada tinha atravessado a Sierra pelo Carson Valley Pass, e disse que havia um lugar nesse trajeto que era exatamente como ele descrevera".

"Com isso o capitão, aliás, homem de decisões rápidas, não hesitou. Reuniu imediatamente um grupo de homens com mulas, cobertores e provisões. Os vizinhos riam da sua credulidade. "Não importa", dizia ele; "posso fazer isto, e não deixarei de fazê-lo, porque creio, verdadeiramente, que o fato corresponde a meu sonho". Os homens foram mandados para as montanhas a cento e cinquenta milhas de distância, diretamente para o Carson Valley Pass. E lá encontraram toda a companhia exatamente nas mesmas condições do sonho, e resgataram os sobreviventes".

Visto que não consta que o capitão Yonnt tivesse o hábito de ter visões, parece evidente que algum Auxiliar, vendo a condição desesperada do grupo de emigrantes, levou a pessoa impressionável mais próxima e, além disso, mais adequada (calhando de ser o capitão) e o transportou ao local no corpo astral, acordando-o suficientemente para que a cena não lhe saísse da memória. O Auxiliar poderia, em vez disso, ter arranjado uma "corrente astral" para o capitão, mas a sugestão anterior é mais provável. Em todo o caso, o motivo e mesmo o processo são bastante claros neste relato.

Às vezes a "corrente astral" pode ser ativada por um forte pensamento emotivo da outra extremidade do fio, e isso pode acontecer mesmo que o pensador não tenha tal intenção em mente. No caso, assaz curioso, que vou relatar, é evidente que a ligação se encontra no fato de o doutor pensar constantemente na Sra. Broughton, ainda que não tivesse um desejo especial de que ela soubesse o que ele na ocasião estava fazendo. Não há dúvida que se trata deste gênero de clarividência: demonstra-o a fixidez do ponto de vista da Sra. Broughton – o qual se note bem, não é o ponto de vista do doutor, simpaticamente transportado (como podia ter acontecido), visto que ela vê suas costas sem reconhecê-lo. O relato encontra-se nos *Proceedings of the Psychical Research*, vol. ii, p. 160. (*Anais da Sociedade de Investigação Psíquica*).

"A Sra. Broughton despertou de repente, numa noite do ano de 1844, e, acordando o marido, disse-lhe que uma coisa horrível tinha acontecido na França. Ele lhe pediu que dormisse, e não o incomodasse. Ela lhe assegurou que não estava dormindo quando viu o que insistia em lhe contar e que realmente o tinha visto".

"Primeiro, um desastre de carruagem – ela não viu o acidente, mas apenas os resultados – uma carruagem partida, uma multidão, um corpo erguido com cuidado e transportado para a casa mais próxima, e depois, sobre uma cama, uma figura que reconheceu como sendo a do Duque de Orleans. Pouco a pouco viu amigos juntarem-se em torno ao leito – entre eles vários membros da família real francesa – a rainha, depois o rei, todos silenciosos, chorando, olhando para o duque evidentemente moribundo.

Um indivíduo (ela não lhe via senão as costas e não podia saber quem era) era um médico. Estava debruçado sobre o duque, tomando-lhe o pulso, com o relógio na outra mão. Depois a visão passou, e ela não tornou a ver mais nada".

"Logo que raiou o dia, a Sra. Broughton escreveu no seu diário tudo o que tinha visto. Isso aconteceu antes de haver a telegrafia elétrica, e por isso passaram dois ou mais dias antes que o *Times* noticiasse "A Morte do Duque de Orleans". Visitando Paris pouco depois, ela viu e reconheceu o local do desastre e teve também a explicação da impressão que recebera. O médico, que estivera ao pé do duque moribundo, era um velho amigo dela, e, quando estava ao pé do leito do duque, estava, por qualquer razão, constantemente pensando nela e na sua família".

Um caso mais comum é aquele em que uma afeição forte estabelece a corrente necessária; provavelmente uma corrente relativamente constante de pensamento mútuo está, nesse caso, constantemente passando entre os dois indivíduos, e qualquer necessidade súbita ou conjuntura difícil de qualquer um deles dá temporariamente a essa corrente o poder de polarização que é preciso para criar o telescópio astral. Um bom exemplo é citado nos mesmos *Proceeding*, vol.i, p. 30. (*Anais*).

"No dia 9 de setembro de 1848, no cerco de Mooltan, o General R. C. B., então ajudante do regimento, foi gravemente ferido; e, pensando estar à beira da morte, pediu a um dos oficiais que estavam com ele que lhe tirasse a aliança do dedo e a mandasse a sua esposa, que estava então a umas cento e cinquenta milhas de distância, em Ferozepore."

"Na noite de 9 de setembro de 1848", escreve sua esposa, "estando eu deitada na cama, quase a pegar no sono, vi claramente o meu marido ser levado do campo de batalha, seriamente ferido, e ouvi a sua voz dizendo: "Tirem este anel do meu dedo e mandem-no a minha mulher". Durante todo o dia seguinte, não pude arrancar do meu espírito nem a visão, nem a voz que ouvira."

"Depois vim a saber que o general R... tinha sido gravemente ferido no ataque a Mooltan. Escapou porém, e ainda vive. Foi só bastante tempo depois do cerco que ouvi do General L..., o oficial que ajudou a conduzir meu marido para fora do campo de batalha, que o pedido a propósito do anel fora realmente feito por ele, exatamente com as palavras que eu ouvi, na mesma ocasião, em Ferozepore."

Há, também, aquela grande classe de clarivisões casuais que não têm causa identificável – que não têm, aparentemente, sentido nenhum, ou relação alguma com qualquer evento presenciado pelo vidente. A esse grupo pertencem as paisagens visualizadas por alguns logo antes de adormecerem. Citarei um relato, importante e muito realista, do livro *Real Ghost Stories*, p. 65. (*Histórias Verdadeiras de Espectros*) do Sr. W. T. Stead:

"Deitei-me na cama, mas não pude dormir. Fechei os olhos e esperei que o sono chegasse; em vez de sono surgiram-me, porém, uma sucessão de quadros clarividentes curiosamente vívidos. Não havia luz no quarto, e estava tudo absolutamente escuro; além disso, tinha os olhos fechados. Mas, apesar da escuridão, tive de repente consciência de ver uma cena de singular beleza. Era como se estivesse vendo uma miniatura viva, do tamanho de uma chapa de lanterna-mágica. Posso lembrar agora a cena, como se ainda a estivesse vendo. Era uma paisagem à beira-mar. A lua brilhava sobre as águas, que subiam pela praia lentamente. Em frente a mim uma extensa nesga de terra entrava pelo mar adentro."

"De cada lado dela havia rochedos irregulares, erguendo-se acima da superfície das águas. Na costa estavam várias casas, quadradas e rudes, sem semelhança com qualquer tipo de casa que eu conhecesse. Não havia ali vivalma, mas só a lua, o mar e o brilho do luar sobre as águas inquietas, exatamente como se eu estivesse olhando diretamente para a paisagem real."

"Era tão belo que me recordo de ter pensado que, se aquilo continuasse, eu tomaria tanto interesse que não conseguiria dormir. Estava bem acordado e, ao mesmo tempo em que via essa cena, ouvia claramente o som da chuva lá fora. Então, de repente, sem motivo ou razão aparente, a cena mudou."

"O luar e o mar desapareceram, e, em vez de vê-los, constatei que olhava para o interior de uma sala de leitura. Parecia uma sala usada para aula de dia, e para sala de leitura de noite. Lembro-me de ver um leitor curiosamente parecido com o Tim Harrington, se bem que não fosse ele, levantar na mão um livro ou revista e desatar a rir. Não era um quadro – estava ali."

"A cena era exatamente como se estivesse a olhar por um binóculo; via o jogo muscular, o brilho dos olhos, todos os movimentos das pessoas desconhecidas no lugar desconhecido para onde estava olhando. Vi tudo isso sem abrir os olhos, nem meus olhos tinham qualquer coisa a ver com aquilo tudo. Estas coisas são vistas como que com outro sentido, que mais parece estar dentro da cabeça do que nos olhos."

"Foi uma experiência muito fraca e sem importância, mas fez-me compreender, melhor do que milhares de explicações, como é que os clarividentes veem."

"Os quadros eram a propósito de nada; não foram sugeridos por coisa alguma que eu tivesse lido ou de que tivesse falado; apareceram simplesmente como se eu pudesse espreitar por uma janela para o que estava acontecendo num outro lugar qualquer. Espiei essa vez, e passou, não tornei a ter outra experiência desse gênero."

O Sr. Stead acha que aquilo foi "uma experiência muito fraca e sem importância", e talvez assim a devamos considerar em relação às maiores possibilidades; conheço, porém, muitos estudiosos que se considerariam felizes se tivessem tido apenas isso a contar de sua experiência pessoal. Por pequena que seja, dá imediatamente ao vidente uma noção verdadeira do fenômeno, e para o indivíduo que viu mesmo esse pouco, a clarividência é um fato real como nunca poderia ser para o que não tiver tido esse pequeno contato com o mundo invisível.

Esses quadros foram vívidos demais para que pudessem ser meros reflexos do pensamento alheio, e, além disso, a descrição mostra, sem que possa haver dúvida, que foram vistos por um telescópio astral; de modo que, ou o Sr. Stead inconscientemente estabeleceu, por si, uma corrente, ou (o que é mais provável) qualquer amável entidade astral lhe fez esse serviço, dando-lhe, para distraí--lo numa hora aborrecida, quaisquer quadros agradáveis que por acaso estivessem no fim do tubo.

Capítulo 7

Clarividência no tempo: O passado

A clarividência no tempo, ou seja, o poder de ler o passado e o futuro, é possuída, como todas as outras variedades, por diferentes pessoas em graus muito diversos, desde o indivíduo que tem ambas as faculdades sob o pleno domínio da sua vontade até aquele que apenas de vez em quando tem vislumbres ou reflexos involuntários e imperfeitíssimos destas cenas de outros dias. Um indivíduo deste último tipo poderá ter, por exemplo, uma visão de algum acontecimento do passado; mas essa visão está sujeita a uma deformação gravíssima, e, mesmo quando acontecesse ser razoavelmente precisa, é quase certo que seria apenas um quadro isolado, e o vidente seria provavelmente incapaz de relacioná-lo com acontecimentos anteriores ou posteriores, ou dar uma explicação cabal de qualquer detalhe mais estranho que nela aparecesse. O vidente *treinado*, pelo contrário, poderia seguir o drama, a que essa cena está ligada, para frente ou para trás, tanto quanto quisesse, e traçar com igual facilidade as causas que a haviam produzido ou os resultados que dela adviriam.

Talvez compreendamos, com mais facilidade, esta bastante difícil seção do nosso assunto, se a examinarmos segundo as subdivisões que naturalmente nos ocorrem, tratando primeiro da visão que olha, retrospectivamente, para o passado, e deixando para depois aquela que trespassa o véu do futuro. Em qualquer dos casos será bom que tentemos compreender, tanto quanto possível, o *modus operandi*, ainda que apenas imperfeitamente o consigamos fazer, devido, em primeiro lugar, ao caráter incompleto da informação sobre alguns pontos do assunto que os nossos investigadores por enquanto possuem, e, depois, à constante inadequação das palavras do mundo físico para exprimir um centésimo que seja do pouco que realmente sabemos a respeito dos planos e das faculdades superiores.

No caso, então, de uma visão detalhada do passado longínquo, como é que ela é obtida, e a que plano da Natureza verdadeiramente pertence? A resposta a ambas as perguntas consta da réplica que encontramos nos *registros ākāshicos;* mas esta afirmação, por sua vez, precisará ser bem explicada para muitos leitores. O termo é, na verdade, até certo ponto impróprio, porque, ainda que os registros sejam sem dúvida lidos no *ākāsha*, ou matéria do plano mental, não é a ele, contudo, que verdadeiramente pertencem. Pior ainda é o outro título "registros da luz astral", que por vezes tem sido empregado, pois esses registros estão muito além do plano astral, e tudo o que se pode obter deles são apenas vislumbres fragmentados de uma espécie de duplo reflexo, conforme adiante será explicado

Como tantos outros dos nossos termos teosóficos, a palavra *ākāsha* tem sido empregada sem grande precisão. Em alguns dos nossos primeiros livros era tida por sinônimo de luz astral, em outros era usada para significar qualquer espécie de matéria invisível, desde *mulaprakriti* até o éter físico. Nos livros mais recentes a sua aplicação tem sido restringida à matéria do plano mental, e é nesse sentido que se pode dizer que os registros são *ākāshicos*, porque, conquanto não sejam originalmente feitos nesse plano, como também não o são no astral, em todo o caso é ali certamente que primeiro os encontramos e podemos fazer trabalho confiável com eles.

O assunto dos registros não é de modo algum fácil de tratar, porque pertence àquela numerosa classe que exige para a sua perfeita compreensão faculdades muito mais elevadas do que quaisquer que a humanidade por enquanto tenha adquirido. A verdadeira solução do problema está em planos muito além de todos os que nos é possível conhecer atualmente, e qualquer opinião que formemos do assunto terá de ser forçosamente imperfeitíssima, visto que só podemos olhar para ele de baixo, e não de cima. A noção que dele formamos terá pois que ser apenas parcial, e contudo não deve nos induzir a erro, a não ser que consideremos esse pequeno fragmento, que é tudo quanto podemos ver, como se fosse o todo completo e perfeito. Se tivermos o cuidado de assegurar que os conceitos que formarmos sejam justos até onde cheguem, nada teremos que desaprender, ainda que muito tenhamos a acrescentar, quando, no decurso do nosso ulterior progresso, atingirmos uma sabedoria mais perfeita. Fique pois entendido desde o princípio que uma ideia completa deste assunto é de todo impossível no nosso atual estágio evolutivo, e que muitos outros pontos surgirão, dos quais somos por enquanto incapazes de dar uma explicação exata, ainda que muitas vezes seja possível sugerir analogias e indicar a direção em que deve estar a explicação verdadeira.

Tentemos então recuar nossos pensamentos até o princípio deste sistema solar a que pertencemos. Nós todos conhecemos a teoria astronômica de sua origem – a hipótese nebular, como é geralmente chamada – segundo a qual ele primeiro existiu como uma enorme nebulosa ardente, de um diâmetro excedendo muito a órbita mesmo do mais afastado dos planetas, e como, depois, à medida que, no decurso de séculos incontáveis, essa enorme esfera, pouco a pouco, foi resfriando e contraindo-se, e o sistema, tal qual o conhecemos, foi formado.

A ciência oculta aceita essa teoria, nas suas linhas gerais, como representando acertadamente o lado puramente físico da evolução do nosso sistema, mas acrescenta que, se limitarmos a nossa atenção apenas a este lado físico, teremos uma ideia muito incompleta e incoerente do que realmente aconteceu. Ela postula, em primeiro lugar, que o Ser elevadíssimo que toma a seu cargo a formação de um sistema (ao qual por vezes chamamos o *Logos* do sistema) principia por formar no Seu espírito uma ideia completa de todo o sistema com as suas sucessivas cadeias de mundos. Pelo próprio ato de formar essa ideia, Ele dá ao conjunto uma existência objetiva simultânea no plano do Seu pensamento – um plano, é claro, inteiramente superior a todos aqueles de que tenhamos qualquer conhecimento – do qual os vários globos descem, quando é preciso, a qualquer estado de maior objetividade que respectivamente se lhes destine. A não ser que tenhamos sempre presente este fato da existência real de todo o sistema, desde o princípio, num plano superior, estaremos perpetuamente confundindo o sentido da evolução física que vemos desenrolar-se cá em baixo.

Mas o Ocultismo tem mais do que isso a ensinar-nos sobre o assunto. Diz-nos não só que a este maravilhoso sistema, a que pertencemos, a existência foi dada pelo *Logos*, tanto nos planos inferiores como nos superiores, mas também que a sua relação para com Ele é mais íntima mesmo do que isso, porque o sistema é absolutamente uma parte d'Ele – uma expressão parcial d'Ele no plano físico – e que o movimento e a energia de todo o sistema são a *Sua* energia, e que tudo acontece dentro dos limites da *Sua* aura.

Esta concepção, por estupenda que seja, não é porém inteiramente improvável para aqueles de nós que tiverem estudado alguma coisa da aura.

Conhecemos bem a ideia de que, à medida que um indivíduo progride no caminho ascensional, o seu corpo causal, que é o limite determinante da sua aura, aumenta nitidamente em tamanho, assim como em luminosidade e pureza de cor. Muitos de nós sabemos, pela experiência, que a aura de um aluno que já progrediu bastante no Caminho é muito maior do que a de um indivíduo que apenas tenha pousado o pé sobre o primeiro degrau, e no caso de um Adepto o aumento proporcional é ainda maior. Lemos na escritura oriental, em livros até completamente exotéricos, como era imensamente extensa a aura do Buda; parece-me que há um trecho onde se dá três milhas como sendo o seu limite, mas, seja qual for a medida exata, é evidente que aqui temos outro relato do crescimento extremamente rápido do corpo causal à medida que o homem progride no seu caminho ascensional. Pouca dúvida pode haver de que este crescimento se faz por progressão geométrica, de modo que não nos deve surpreender se nos falarem de um Adepto num nível ainda superior, cuja aura seja capaz de incluir ao mesmo tempo todo o mundo; e daqui podemos pouco a pouco levar o nosso pensamento à concepção de que haja um Ser tão elevado que dentro de Si abarque todo o nosso sistema solar. E não devemos esquecer que este, por maior que nos pareça, não passa de uma gota pequeníssima no vasto oceano do espaço.

Assim, do *Logos* (Aquele que contém em Si todas as capacidades e qualidades que podemos concebivelmente atribuir ao mais alto Deus que possamos imaginar) é literalmente verdade, como antigamente se disse, que "d'Ele e por Ele e para Ele existem todas as coisas" e "n'Ele vivemos, nos movemos e temos nosso ser".

Ora, se isso é assim, é claro que tudo o que acontece no nosso sistema, seja o que for, acontece absolutamente dentro da consciência do seu *Logos*, de modo que imediatamente compreendemos que o verdadeiro registro deve ser a Sua memória; e, além disso, é evidente que, seja em que plano for que essa memória exista, o certo é que está muito acima de tudo quanto conhecemos e que, portanto, quaisquer registros que possamos ler não podem passar de um reflexo desse grande fato dominante, espalhados nos meios mais densos dos planos inferiores.

No plano astral é logo evidente que assim é – que lidamos apenas com o reflexo dum reflexo, aliás extremamente imperfeito, porque os registros ali atingíveis estão excessivamente fragmentados e por vezes, mesmo, seriamente deformados. Sabemos que a água é universalmente empregada como símbolo da luz astral, e neste caso específico o símbolo é notavelmente correto. Na superfície da água imóvel podemos ver, exatamente como num espelho, uma imagem nítida dos objetos em sua volta; mas não passa de uma imagem – uma representação em duas dimensões de objetos tridimensionais, divergindo portanto em todas as suas qualidades, exceto na cor, daquilo que representa; e, além disso, a imagem é sempre invertida.

Mas se o vento remexer a superfície da água, o que teremos? Uma imagem ainda, um reflexo, mas tão quebrado e deformado que de nada serve, ou, mesmo, só serve para nos enganar com respeito ao feitio e verdadeiro aspecto dos objetos refletidos. Aqui e ali, por um momento, pode acontecer que obtenhamos uma imagem verdadeira de qualquer pequeno detalhe da cena – de uma folha de árvore, por exemplo; mas seria preciso um longo trabalho e um conhecimento considerável das leis naturais para obter qualquer coisa semelhante à verdadeira concepção do objeto refletido, mesmo juntando um grande número de tais fragmentos isolados de sua imagem.

No plano astral nunca poderemos ter coisa que se assemelhe ao que imaginamos como uma superfície tranquila, mas pelo contrário, trata-se sempre de uma superfície em movimento rápido e perturbador; calcule-se, pois, o pouco que podemos confiar em obter um reflexo claro e definido. Assim um clarividente que possui apenas a faculdade de visão astral nunca poderá confiar em que qualquer quadro do passado, que ante ele se erga, seja justo e certo; partes dele, aqui e ali, poderão ser, mas ele não tem meios de saber quais são esses pedaços. Se estiver aos cuidados de um professor competente, pode, mediante uma instrução longa e cuidadosa, aprender a distinguir entre as impressões confiáveis e as não confiáveis, e a construir com os reflexos incompletos uma espécie qualquer de imagem do objeto refletido; mas, em geral, antes que tenha superado estas dificuldades, já terá desenvolvido a visão mental, que torna desnecessários tais esforços.

No plano seguinte, que é o mental, as condições são muito diferentes. Ali o registro é completo e preciso, e o impossível seria errar a sua leitura. Isto é, se três clarividentes possuindo os poderes relativos ao plano mental decidissem todos examinar certo registro ali feito, o que veriam seria exatamente a mesma coisa no caso de qualquer dos três, e cada um deles tiraria dessa leitura uma mesma e exata impressão. Mas não ocorreria que, quando depois comparassem as suas notas no plano físico, os seus relatórios coincidissem perfeitamente. É bem sabido que, se três indivíduos, que testemunharam um acontecimento no plano físico, passassem depois a descrevê-lo, os seus relatos divergiriam sensivelmente uns dos outros, porque cada indivíduo teria notado especialmente aqueles detalhes que mais o interessassem e insensivelmente os teria tornado os traços capitais do acontecimento, deixando por vezes outros pontos que foram na verdade de muito maior importância.

No caso de uma observação sobre o plano mental, esta equação pessoal pouco ou nada afetaria as impressões recebidas, porque, visto que cada indivíduo abrange por completo todo o assunto, ser-lhe-ia impossível ver fora de proporção as partes de que esse assunto é composto; mas, a não ser no caso de indivíduos cuidadosamente educados e experientes, este fator já entraria em jogo quando se tratasse da transferência das impressões para os planos inferiores. Pela natureza das coisas, é impossível que qualquer relato dado neste mundo a respeito de uma experiência ou visão do mundo mental possa ser completo, porque nove décimos de quanto se vê e sente ali não poderia de modo algum ser expresso em palavras físicas; e, visto que a expressão tem forçosamente de ser parcial, é claro que há uma possibilidade de escolha no que diz respeito à parte expressa. É por esta razão que em todas as nossas mais recentes investigações teosóficas tanto se tem insistido sobre a necessidade de constantemente controlar e verificar os testemunhos de clarividentes; tanto assim, que nada, que se baseie no testemunho de apenas uma pessoa, tem sido incluído nos nossos últimos livros.

Mas, mesmo quando as possibilidades de erro, provenientes deste fator da equação pessoal, tenham sido reduzidas ao mínimo por um sistema de cuidadoso controle e verificação, permanece ainda a gravíssima dificuldade inerente à operação de trazer impressões de um plano superior para um plano inferior. É ela um pouco do mesmo gênero que a dificuldade do pintor para reproduzir uma paisagem tridimensional numa superfície plana – isto é, na verdade, em duas dimensões. Assim como ao artista é preciso uma longa e cuidadosa educação visual e manual antes que lhe seja possível dar uma interpretação satisfatória da natureza, assim ao clarividente é preciso uma longa e cuidadosa educação antes que possa descrever num plano inferior o que se passa num plano superior; e as probabilidades que há a favor de obtermos uma descrição exata feita por um indivíduo não treinado na clarividência equivalem de certa forma àquelas de obtermos uma perfeita representação pictural de uma paisagem feita por um indivíduo que nunca aprendeu desenho.

Não devemos também esquecer que o quadro mais perfeito está na realidade infinitamente longe de ser uma reprodução da cena que representa, porque não há nele linha ou ângulo que possa na verdade ser como o é no objeto copiado. É simplesmente uma tentativa engenhosíssima de produzir sobre apenas um dos nossos cinco sentidos, por meio de linhas e cores numa superfície plana, uma impressão semelhante àquela que teríamos tido se estivéssemos diante da cena representada. Exceto por meio de uma sugestão inteiramente dependente da nossa experiência anterior o quadro, nada nos pode dar do rugido do oceano, do perfume das flores, do sabor dos frutos, ou da dureza ou moleza da superfície desenhada.

De natureza precisamente idêntica, se bem que em grau ainda maior, são as dificuldades que um clarividente sente ao tentar descrever no plano físico o que viu no plano astral; e elas são ainda acrescidas do fato que, em vez de ter de evocar no espírito dos seus ouvintes concepções que eles já conhecem muito bem, como faz o pintor quando desenha homens ou animais, campos ou árvores, o clarividente tem de tentar, com os meios imperfeitíssimos de que para isso dispõe, sugerir-lhes concepções que, na sua grande maioria, eles desconhecem por completo.

Não é pois de admirar que, por mais brilhantes e vívidas que as suas descrições pareçam ao seu auditório, ele próprio sinta constantemente que elas são inteiramente insuficientes, e que os seus maiores esforços não conseguiram dar ideia nenhuma do que realmente vê. Nem nos devemos esquecer que, no caso do relato feito neste mundo de um registro lido no plano mental, essa difícil operação da transferência do superior para o inferior tem lugar, não uma vez, mas duas, visto que a memória teve de atravessar o plano astral intermediário. Mesmo num caso em que o investigador tenha a vantagem de ter a tal ponto desenvolvido as suas faculdades mentais que possa usá-las quando acordado no seu corpo físico, mesmo assim ainda o estorva a absoluta incapacidade da linguagem física exprimir aquilo que ele vê.

Tentemos, por um momento, compreender bem aquilo a que se chama a quarta dimensão, sobre a qual já dissemos alguma coisa num capítulo anterior. Não custa nada pensar nas nossas três dimensões – representar no nosso espírito o comprimento, a largura e a altura de qualquer objeto; e vemos que cada uma destas dimensões é representada por uma linha perpendicular as duas outras. A noção da quarta dimensão é a de ser possível desenhar uma quarta linha que seja perpendicular às duas outras três já existentes.

Ora, o espírito comum não pode de modo algum abranger este conceito, ainda que os poucos indivíduos que tenham feito um estudo especial do assunto tenham conseguido pouco a pouco compreender uma ou duas das mais simples figuras quadridimensionais.

Ainda assim, não há palavras que eles possam usar no plano físico que consigam pôr qualquer representação destas figuras diante dos olhos dos outros, e se qualquer leitor, que não tenha se educado especialmente nessa direção, tentar visualizar uma figura dessas, verá que lhe é inteiramente impossível fazê-lo. Ora exprimir uma forma dessas claramente em palavras físicas importaria, com efeito, em descrever com precisão um objeto existente no plano astral; mas, se examinarmos os registros no plano mental, enfrentaremos as dificuldades adicionais de uma quinta dimensão! De sorte que a impossibilidade de explicar completamente esses registros ficará patente mesmo à observação mais superficial.

Referimo-nos já aos registros como sendo a memória do *Logos*, mas eles são muito mais do que uma memória, no sentido comum da palavra. Por mais impossível que seja imaginar como essas imagens são do ponto de vista d'Ele, sabemos, porém, que, à medida que formos subindo, mais e mais estaremos nos aproximando da verdadeira memória – mais e mais perto estaremos do modo como Ele vê; de modo que se atribue um grande interesse às experiências do clarividente, com respeito a estes registros, quando ele já atingiu o plano *búdico* – o mais alto que a sua consciência pode alcançar, mesmo quando longe do seu corpo físico, até que ele atinja o nível dos *Arhats*.

Aqui já o tempo e o espaço não o limitam; não precisa mais, como no plano mental, passar em revista uma série de acontecimentos, porque o passado, o presente e o futuro estão todos simultaneamente presentes, por absurda que pareça a frase neste mundo. Na verdade, embora mesmo esse plano elevadíssimo esteja infinitamente abaixo da consciência do *Logos*, é contudo absolutamente evidente pelo que ali vemos que para Ele o registro deve ser muito mais do que aquilo a que chamamos uma memória, porque tudo quanto aconteceu no passado, e tudo quanto acontecerá no futuro *está acontecendo agora* ante os Seus olhos exatamente como os acontecimentos daquilo a que chamamos de presente. Inteiramente incrível, loucamente incompreensível, é claro, para o nosso entendimento limitado; mas nem por isso menos verdadeiro.

É claro que, no nosso atual estado de conhecimento, não podemos esperar compreender como é que se produz um resultado tão maravilhoso, e tentar explicá-lo implicaria apenas envolver-nos numa névoa de palavras que nenhuma informação nos daria.

Ocorre-me, porém, uma ordem de pensamentos que talvez torne possível esboçar o sentido dessa explicação; e tudo quanto nos ajude a compreender que tão estranha afirmação pode, apesar de tudo, não ser de todo absurda, deve ao menos servir para alargar nossas mentes.

Lembro-me de ter lido, há uns trinta anos, um livro curiosíssimo intitulado, creio, *The Stars and the Earth (As Estrelas e a Terra)*, que se propunha demonstrar como era cientificamente possível que aos olhos de Deus o passado e o presente pudessem ser absolutamente simultâneos. Os argumentos empregados pareceram-me então muito engenhosos, e vou, portanto, resumi-los, visto que os considero bastante sugestivos em relação ao assunto de que tratamos.

Quando vemos qualquer coisa, quer seja o livro que temos na mão ou uma estrela a milhões de milhas de distância, nós o fazemos por uma vibração no éter, comumente chamada de um raio de luz, que passa do objeto visto para os nossos olhos. Ora, a velocidade desta vibração é tão grande – umas 186.000 milhas por segundo – que, ao tratar de qualquer objeto no nosso mundo, podemos considerá-la praticamente instantânea. Quando, porém, passamos a tratar de distâncias interplanetares, temos de levar em conta a velocidade da luz, porque ao atravessar esses grandes espaços ela leva um tempo apreciável. Por exemplo: a luz leva oito minutos e um quarto para chegar do Sol até nós, de modo que, quando olhamos para a esfera solar, vêmo-la por meio de um raio de luz que a abandonou há mais de oito minutos.

Disso decorre um resultado muito curioso. O raio de luz pelo qual vemos o Sol só nos pode, evidentemente, indicar o que se passava no Sol quando começou a sua viagem, e em nada seria afetado por qualquer coisa que ali acontecesse depois de ele ter partido; de modo que realmente vemos o Sol, não como ele é agora, mas como era há oito minutos. Quer dizer, se qualquer coisa de importante acontecesse no Sol – a formação de uma nova mancha, por exemplo – um astrônomo que na ocasião o estivesse observando pelo telescópio nada saberia do incidente quando ele estivesse ocorrendo, visto que o raio de luz que lhe traria notícias dele só chegaria oito minutos mais tarde.

A diferença é muito mais impressionante quando consideramos as estrelas fixas, porque nesse caso as distâncias são significativamente maiores. A estrela polar, por exemplo, está tão longe que a luz, viajando com a inconcebível velocidade já indicada, demora um pouco mais de cinquenta anos a chegar aos nossos olhos; e isso nos leva à conclusão estranha, mas inevitável, de que estamos agora vendo a estrela polar, não como ela é agora, mas como ela era há cinquenta anos. Mesmo que amanhã uma catástrofe qualquer fizesse em pedaços a estrela polar, nós ainda a veríamos brilhando tranquilamente nos céus; os nossos filhos chegariam ao princípio da velhice, e teriam já filhos crescidos, antes que houvesse chegado a qualquer ser terrestre a notícia dessa catástrofe tremenda. Da mesma maneira, há estrelas tão afastadas que sua luz leva milhares de anos para chegar até nós, e com respeito à condição delas a nossa informação sofre, portanto, um atraso de uns milhares de anos. Levemos mais longe o argumento. Suponha-se que poderíamos colocar um indivíduo, à distância de 186.000 milhas da Terra, dando-lhe ao mesmo tempo a maravilhosa faculdade de ver dessa distância tão nitidamente o que aqui estava acontecendo como se estivesse perto de nós. É claro que o indivíduo ali colocado veria todas as coisas terrestres um segundo depois de elas se passarem, e no momento atual estaria vendo o que se passou há um segundo. Dobre-se a distância, e o indivíduo estaria dois segundos em atraso, e assim proporcionalmente; leve-se esse indivíduo até à distância do Sol (conservando-lhe sempre o mesmo misterioso poder de visão) e ele, olhando de lá, estaria *agora* vendo, não o que está sendo feito *agora*, mas o que se fazia *há oito minutos e um quarto*. Transporta-o à estrela polar, e ele terá ante os seus olhos, agora, os acontecimentos de há cinquenta anos; estará observando as brincadeiras infantis de indivíduos que nessa mesma ocasião já são velhos. Por maravilhoso que isso pareça, é literal e cientificamente verdadeiro, e ninguém o pode negar.

O livro, a que me refiro, seguia argumentando, com uma excelente lógica, que Deus, sendo todo-poderoso, deve possuir o assombroso poder de visão que estamos atribuindo ao nosso observador; e, mais, que, sendo onipresente, deve estar em todos os pontos onde colocamos o indivíduo, e também em todos os pontos intermediários, não sucessiva, mas simultaneamente. Concedidas estas premissas, segue a inevitável dedução que tudo quanto tenha acontecido desde o princípio do mundo deve estar neste momento acontecendo ante os olhos de Deus – não uma mera memória de tudo isso, mas os verdadeiros acontecimentos todos eles objeto da Sua observação *atual*.

Tudo isso é bastante materialista e está no plano da ciência puramente física; podemos ter, portanto, a certeza de que não é assim que o *Logos* age; e contudo a dedução é correta e absolutamente irrefutável, e como já disse, não deixa de ser útil, visto dar-nos um vislumbre de algumas possibilidades que poderiam não nos ocorrer, se não fosse este argumento.

Mas, pode-se perguntar, como será possível, entre a confusão enorme dos registros do passado, encontrar qualquer cena, quando a desejarmos ver? O fato é que o clarividente sem *treinamento* geralmente não o pode fazer, sem qualquer ligação especial que o ponha *en rapport* com o objeto em questão. A psicometria é um caso que pode servir de exemplo, e é bem provável que a nossa memória comum não seja senão outra forma da mesma ideia. Parece haver certa ligação ou afinidade magnética entre qualquer partícula de matéria e o registro que contém a sua história – uma afinidade que a torna apta a servir de uma espécie de fio condutor entre esse registro e as faculdades de qualquer indivíduo que o possa ler.

Por exemplo: uma vez, eu trouxe de Stonehenge um pedacinho de pedra, do tamanho de uma cabeça de alfinete, e, tendo-o metido num envelope e entregado a uma psicóloga que não tinha nenhuma noção do que aquilo era, ela imediatamente passou a descrever aquela maravilhosa ruína e a paisagem desolada que a cerca, descrevendo depois vividamente coisas que eram evidentemente cenas da sua antiga história; mostrando assim que aquele pequeníssimo fragmento havia sido o suficiente para a pôr em comunicação com os registros relacionados com o ponto de onde eu o havia tirado. As cenas através das quais passamos no decurso da nossa vida parecem agir sobre as células do nosso cérebro do mesmo modo que a história de Stonehenge sobre aquele pedacinho de pedra: estabelecem uma ligação com aquelas células, por meio das quais o nosso espírito é posto *en rapport* com aquela porção especial dos registros, e, assim, "lembramo-nos" do que vimos.

Mesmo um clarividente treinado precisa de uma ligação que o habilite a encontrar o registro de um acontecimento de que não tenha conhecimento. Se, por exemplo, quiser observar o desembarque de Júlio César nas costas da Inglaterra, há várias maneiras de poder entrar no assunto. Se por acaso visitou a cena da ocorrência, o mais simples será evocar a imagem do lugar e depois percorrer os seus registros até encontrar o período que deseja. Se não tiver visto o lugar, poderá voltar atrás no tempo até a data em que se deu o acontecimento e então procurar no Canal da Mancha uma flotilha de galés romanas; ou poderá examinar os registros da vida romana do tempo, onde não terá dificuldade em identificar uma figura tão importante como a de César, seguindo-o através de todas as campanhas na Gália até encontrá-lo desembarcando nas costas britânicas.

Muita gente pergunta qual o aspecto destes registros – se parecem estar longe ou perto, se as figuras neles são pequenas ou grandes, se os quadros se seguem como num panorama ou se fundem como nas vistas dissolventes. Só se pode responder que o seu aspecto varia bastante de acordo com as condições em que os vemos. Se for no plano astral, o reflexo é em geral um simples quadro, ainda que por vezes as figuras tenham movimento; neste último caso, em vez de um mero instantâneo, deu-se um reflexo mais perfeito e prolongado.

No plano mental eles têm dois aspectos inteiramente diversos. Quando o visitante desse plano não está pensando especialmente neles, os registros formam simplesmente o fundo para o que estiver acontecendo. Não devemos esquecer que, nestas condições, eles não passam de imagens da atividade incessante de uma grande Consciência num plano muito superior, sendo muito parecidas com a sucessão sem fim de quadros cinematográficos. Não se fundem uns nos outros como visões dispersas, nem se seguem uns aos outros, como uma série de quadros; mas a ação das figuras refletidas continua constantemente, como se estivéssemos olhando para atores num palco distante.

Mas se o investigador *treinado* dirige a sua atenção para qualquer cena especial, ou se deseja evocá-la para que apareça diante dele, dá-se imediatamente uma mudança extraordinária, porque este é o plano do pensamento, e pensar em qualquer coisa é trazê-la imediatamente para diante de nós. Por exemplo, se um indivíduo deseja ver o registro do acontecimento que nos serviu de exemplo – o desembarque de César – encontra-se imediatamente, não como se estivesse vendo qualquer quadro, mas presente na costa entre os legionários, com a cena toda se desenrolando ao seu redor, exatamente como se ali tivesse estado, em carne e osso, naquela manhã de outono do ano 55 antes de Cristo. Visto que o que ele vê não passa de um reflexo, os atores não têm, é claro, nenhuma consciência dele, nem pode qualquer esforço seu mudar, por pouco que seja, o curso da ação deles, ele pode apenas controlar a rapidez com que o drama se desenrola ante seus olhos – fazendo com que os acontecimentos de um ano passem diante de seus olhos numa hora, ou a qualquer momento, fazendo parar totalmente o movimento, para contemplar, durante o tempo que quiser, qualquer cena especial como se fosse um quadro.

Realmente, ele não só observa o que teria visto se ali tivesse estado em carne e osso, mas muito mais. Ouve e compreende tudo quanto essa gente diz, e tem consciência dos seus pensamentos e motivos; e uma das possibilidades mais interessantes das várias que se abrem para quem aprendeu a ler o registro é o estudo do pensamento de épocas remotas – do pensamento dos homens das cavernas e das habitações lacustres, assim como aquele que predominou nas grandes civilizações da Atlântida, do Egito ou da Caldeia. É fácil imaginar as esplêndidas possibilidades do indivíduo que possui plenamente este poder. Tem diante de si um campo de investigação histórica do mais alto interesse. Não só pode rever, a seu bel prazer, toda a história que conhecemos, corrigindo, à medida que a vai vendo, os muitos erros e as distorções que há nos relatos que temos; pode também vagar à sua vontade por toda a história do mundo desde o seu início, observando o lento desenvolvimento da inteligência humana, a descida dos Senhores da Chama, e o progresso das grandes civilizações que eles fundaram.

O seu estudo não fica limitado apenas ao progresso da humanidade; ele tem diante de si, como num museu, todas as estranhas formas animais e vegetais que havia no mundo quando ainda no seu início; pode acompanhar todas as maravilhosas mudanças geológicas que têm ocorrido e seguir o curso dos grandes cataclismos que várias vezes têm mudado por completo a face da Terra.

Num caso especial, é possível ao leitor dos registros uma sintonia ainda maior com o passado. Se, no decurso das suas investigações, tiver que observar qualquer cena em que ele próprio tomou parte em qualquer encarnação anterior, pode tratá-la de duas maneiras; da maneira habitual, como um espectador (ainda que – não o esqueçamos – um espectador cuja compreensão e empatia são perfeitas), ou pode tornar a identificar-se com aquela sua personalidade, morta há muito tempo, – retornando temporariamente para essa vida passada, voltando a sentir realmente os pensamentos e as emoções, os prazeres e as mágoas de um passado pré-histórico.

Não é possível conceber aventuras mais estranhas e mais vívidas do que essas por que ele assim poderá passar; mas, através de tudo isso, ele nunca deve perder a consciência de sua individualidade – deve conservar o poder de regressar, quando quiser, à sua personalidade presente.

Muitas vezes, pergunta-se como é possível a um investigador determinar com justeza a data de qualquer cena do passado que ele desenterre dos registros. Na verdade é por vezes cansativo o trabalho de encontrar uma data exata, mas em geral é sempre possível, se valer a pena, gastar nisso tempo e trabalho. Se estivermos tratando dos tempos gregos ou romanos, o método mais simples é, em geral, olhar para dentro da mente da pessoa mais inteligente presente no quadro e ver que data é que ele supõe ser a dessa cena; ou o investigador poderá vê-lo escrever uma carta ou outro documento, reparando, se for datado, qual é a data que ele lhe põe. Uma vez obtida a data romana ou grega, transferi-la para nosso sistema de cronologia é apenas questão de cálculo.

Outro método, frequentemente adotado, consiste em tirar os olhos da cena examinada e levá-los a qualquer cena contemporânea em qualquer cidade grande e conhecida como Roma, e verificar que rei está reinando, ou quem são os cônsules nesse ano; obtidos esses dados, um golpe de vista em um bom compêndio de história dará as outras informações. Às vezes é possível obter uma data pela consulta a qualquer proclamação pública ou documento legal; aliás, nos períodos de que estamos falando, a dificuldade é facilmente superada.

O assunto, porém, já não é tão fácil quando se tratar de períodos muito anteriores a estes – de uma cena do antigo Egito, da Caldeia, ou da velha China, ou, para ir mais longe ainda, da própria Atlântida e das suas numerosas colônias. Uma data ainda poderá ser facilmente obtida através da mente de qualquer indivíduo instruído da época, mas não há mais qualquer maneira de relacioná-la com o nosso sistema de datas, visto que o indivíduo estará se referindo a eras que de todo desconhecemos, ou a reinados de reis cuja história está perdida na noite dos tempos.

Os nossos métodos não estão, porém, esgotados. Não devemos esquecer que é possível ao investigador fazer os registros passarem diante dele com a velocidade que desejar – a um ano por minuto, se quiser, ou mesmo muito mais depressa. Ora, há um ou dois acontecimentos na história antiga cujas datas já estão nitidamente fixadas – como, por exemplo, o afundamento do Poseidon no ano 9564 a.C. É portanto evidente que, se, pelo aspecto geral da paisagem, parecer provável que determinada cena vista esteja a uma razoável distância de qualquer destes acontecimentos, ela pode ser relacionada com esse evento pelo processo muito simples de fazer passar rapidamente o registro, contando os anos intermediários, à medida que vão passando.

Contudo, se esses anos chegassem a milhares, como por vezes poderia acontecer, este plano se tornaria terrivelmente tedioso. Nestes casos, temos que recorrer ao método astronômico. Em consequência do movimento a que vulgarmente se chama a precessão dos equinócios, ainda que devesse ser mais propriamente descrito como uma espécie de segunda rotação da Terra, o ângulo entre o Equador e a eclíptica vai gradual, mas lentamente variando. Assim, depois de grandes intervalos de tempo, verificamos que o polo da Terra já não está apontando para o mesmo ponto na esfera aparente dos céus, ou que, em outras palavras, a nossa estrela polar não é, como agora, *Alfha Ursae Minoris*, mas qualquer outro corpo celeste; e por esta posição do polo da Terra, que facilmente se pode averiguar pelo exame do céu noturno no quadro que se esteja vendo, pode ser calculada, sem grande dificuldade, uma data aproximada.

Ao calcular a data de ocorrências que se deram há milhões de anos com raças primitivas, o período da rotação secundária (ou precessão dos equinócios) é frequentemente usado como uma unidade, mas é claro que uma exatidão absoluta não é em geral exigida nesses casos, bastando números redondos ao tratar de épocas tão remotas.

A leitura exata dos registros quer das nossas vidas passadas, quer das dos outros, não deve, porém, ser considerada como possível a qualquer pessoa que não tenha um cuidadoso treinamento preliminar. Como já se observou, ainda que se possam obter reflexos ocasionais no plano astral, o poder de usar o sentido mental é necessário para que se consiga uma leitura confiável. Realmente, para reduzir ao mínimo as possibilidades de erro, esse sentido deve estar inteiramente sob o domínio do investigador quando desperto no corpo físico; e a aquisição dessa faculdade leva anos de trabalho incessante e de rígida autodisciplina.

Muita gente parece julgar que mal assina o seu requerimento de admissão e passa a pertencer à Sociedade Teosófica, imediatamente passará a poder lembrar-se de três ou quatro das suas encarnações anteriores; há mesmo indivíduos que começam logo a imaginar "recordações" e declaram que na sua última encarnação foram Maria Stuart, Cleópatra ou Júlio César! É claro que pretensões tão extravagantes não conseguem senão trazer descrédito àqueles que disparatadamente as têm; mas infelizmente parte da má fama tende a cair também, por injusto que isso seja, sobre a Sociedade a que eles pertencem, de modo que um indivíduo que sente fervilhar dentro de si a convicção de que foi Homero ou Shakespeare fará bem em não ir muito depressa, pondo isso bem à prova no plano físico antes de comunicá-lo ao mundo.

É absolutamente certo que muita gente tem tido em sonhos vislumbres de cenas de vidas passadas, mas, como é de esperar, esses vislumbres são quase sempre fragmentadíssimos e incertos. Eu próprio tive na juventude uma experiência deste gênero. Havia entre os meus sonhos um que constantemente reaparecia – o sonho de uma casa com um pórtico virado para uma formosa baía, não muito longe de uma colina em cujo cimo se erguia um edifício muito belo. Eu conhecia essa casa perfeitamente, e sabia tão bem a distribuição dos seus quartos e a vista da sua porta como as da minha casa, nesta vida presente. Nesses dias eu nada *sabia* da reencarnação, de modo que não me pareceu senão uma curiosa coincidência que esse sonho tantas vezes se repetisse; não foi senão algum tempo depois de eu ter entrado para a Sociedade que, quando alguém que *sabia* estava me mostrando quadros da minha última encarnação, descobri que esse sonho constante era na verdade uma recordação parcial, e que a casa que eu tão bem conhecia era aquela em que eu nascera havia mais de dois mil anos.

Mas, ainda que haja vários casos conhecidos em que qualquer cena bem lembrada atravessou assim de uma vida para outra, é preciso um grande desenvolvimento de faculdades ocultas antes que um investigador consiga traçar definidamente uma linha de encarnações, quer suas, quer de outro indivíduo. Isso ficará bem claro se nos lembrarmos das condições do problema a resolver. Para seguir uma pessoa desta vida para a anterior, é preciso, antes de tudo, traçar a sua vida presente, retroativamente, até o seu nascimento e depois acompanhar, em ordem inversa, os vários estágios pelos quais o Eu desceu à encarnação.

Isso eventualmente nos levará de volta à condição do Eu nos níveis superiores do plano mental; de modo que é evidente que para realizar eficazmente esta tarefa, o investigador deve poder empregar o sentido correspondente a esse nível elevadíssimo sem deixar de estar desperto no seu corpo físico – em outras palavras, a sua consciência terá de centralizar-se no próprio Eu reencarnado, e não na personalidade inferior. Nesse caso, a memória do Eu tendo sido despertada, as suas próprias encarnações passadas estarão abertas diante dele como um livro, e ser-lhe-ia possível, se o desejasse, examinar as condições de outro Eu nesse nível e segui-lo, retroativamente, através das vidas mental inferior e astral, que o conduziram até ali, até chegar à última morte física desse Eu e, assim, à sua vida anterior.

É essa a única maneira pela qual a cadeia de vidas pode ser seguida com uma certeza absoluta; e podemos, por conseguinte, pôr de lado imediatamente, como impostores conscientes ou inconscientes, aqueles indivíduos que anunciam que podem encontrar as encarnações passadas de qualquer pessoa, a uns tantos *shillings* por cabeça. É escusado dizer que o verdadeiro ocultista não põe anúncios, e nunca, em circunstância alguma, aceita dinheiro em troca de qualquer demonstração de seus poderes.

Não há dúvida de que o estudioso que quiser adquirir o poder de seguir uma linha de reencarnações o pode fazer apenas aprendendo, com um professor competente, como é que esse trabalho se faz. Há quem tenha asseverado que basta que um indivíduo se sinta bom, "fraternal" e devoto para que toda a sabedoria das eras imediatamente o penetre; mas um pouco de bom-senso não tardará em revelar como essa teoria é absurda. Por melhor que uma criança seja, se quiser aprender a tabuada, tem de estudá-la; e o caso é precisamente idêntico quando se trata da capacidade de usar as faculdades espirituais. Essas faculdades sem dúvida se manifestarão à medida que o indivíduo evolui, mas ele só pode conseguir usá-las, com segurança e da melhor maneira possível, através de um trabalho sério e de um esforço persistente.

Consideremos o caso daqueles que querem auxiliar outros no plano astral, durante o sono; é claro que quanto mais conhecimento disso possuam, mais valiosos serão os seus serviços nesse plano superior. Por exemplo: o conhecimento de várias línguas ser-lhes--á muito útil, porque, conquanto no plano mental os indivíduos possam comunicar-se diretamente por transferência de pensamento, sejam quais forem as línguas que falam, no plano astral não é assim, e um pensamento tem de ser formulado em palavras para que possa ser compreendido. Se, portanto, quiserem auxiliar um indivíduo nesse plano, terão que ter uma língua em comum, pela qual possam comunicar-se com ele; e por isso quanto mais línguas souberem, mais úteis serão. A verdade é que não há nenhuma espécie de conhecimento que não tenha utilidade no trabalho do ocultista.

Seria bom que todos os estudiosos nunca esquecessem que o ocultismo é a apoteose do senso comum, e que qualquer visão que lhes aconteça não é necessariamente uma cena dos registros *ākāshicos*, nem qualquer experiência uma revelação vinda de cima.

É muito melhor errar no sentido de um cepticismo saudável do que no de uma credulidade excessiva; e é uma regra admirável a de não procurar uma explicação oculta para qualquer coisa, quando para explicá-la baste uma causa física simples e evidente. O nosso dever é tentar sempre conservar o nosso equilíbrio de espírito, nunca perder o domínio de nós próprios, formando sempre uma opinião razoável e cheia de bom-senso a propósito de qualquer coisa que nos aconteça; assim seremos melhores teosofistas, ocultistas mais prudentes, e auxiliares mais úteis do que antes havíamos sido.

Usualmente, encontramos casos de todos os graus deste poder de ler dentro da memória da natureza, desde o do homem treinado que pode, sempre que quiser, consultar sozinho o registro ao do indivíduo que não obtém senão vagos vislumbres casuais, ou que não teve, talvez, senão uma só dessas visões em toda a vida. Mas mesmo o indivíduo que possua esta faculdade apenas parcial e ocasionalmente, a considera profundamente interessante. O psicometrista, que precisa de um objeto fisicamente relacionado com o passado para poder revivê-lo todo ao seu redor, e o cristalovidente que pode às vezes apontar o seu telescópio astral menos preciso para qualquer cena de muitos anos atrás, podem ambos encontrar um grande prazer no exercício dos seus respectivos dotes, ainda que nem sempre compreendam bem como esses resultados se produzem, nem tenham sempre domínio sobre eles.

Em muitos casos das manifestações inferiores destes poderes, constatamos que elas são exercidas inconscientemente; muitos cristalovidentes observam cenas do passado sem que possam distingui-las de cenas do presente, e há muitas pessoas vagamente "psíquicas" que veem várias cenas erguerem-se constantemente ante os seus olhos, sem nunca lhes passar pela cabeça que estão, de fato, aplicando a psicometria aos vários objetos ao seu redor, à medida que os toca ou aproxima-se deles.

Uma curiosa variante desta classe de "psíquicos" é o indivíduo que é capaz de utilizar a psicometria apenas em pessoas e não em objetos inanimados, como é mais comum. Na maioria dos casos esta faculdade revela-se irregularmente, de modo que uma pessoa "psíquica", quando apresentada a um estranho, muitas vezes verá, num relâmpago, qualquer cena importante da vida passada desse indivíduo, podendo, porém, outras vezes, não receber impressão nenhuma. Mais raramente encontramos indivíduos que têm visões detalhadas da vida passada de todos que encontram. Talvez um dos melhores exemplos desta classe seja o escritor alemão Zschokke, que descreve na sua autobiografia esta estranha faculdade que descobriu possuir. Diz ele:

"Tem-me acontecido, eventualmente, num primeiro encontro com um estranho, que ao escutar silenciosamente a sua conversa, a sua vida passada até o momento presente, com circunstâncias muito pequenas relacionadas com uma ou outra cena dela, me tem atravessado o espírito como um sonho, mas nitidamente, de modo inteiramente involuntário e sem que eu o desejasse, levando nisso apenas uns minutos."

"Durante muito tempo, estive inclinado a considerar estas visões passageiras uma ilusão da minha fantasia – tanto mais que em meu sonho via o vestuário e os movimentos dos atores, o aspecto do quarto, a mobília, e outros detalhes da cena; até que, numa ocasião, estando disposto a brincar, narrei à minha família a história secreta de uma costureira que acabava de sair do quarto onde estávamos. Nunca a tinha visto anteriormente. Os ouvintes, porém, admiraram-se, riram e não foi possível persuadi-los de que eu não tinha prévio conhecimento da sua vida, visto que o que eu lhes contara era perfeitamente exato."

"Eu não fiquei menos espantado ao verificar que a minha visão de sonho correspondia à realidade. Passei então a dar mais atenção ao assunto, e, muitas vezes, quando a discrição o permitia, narrava às pessoas, cujas vidas haviam passado diante de mim, a essência do meu sonho, para que elas a negassem ou confirmassem. Em todos os casos, confirmaram imediatamente o meu relato, embora bastante admirados."

"Num certo lindo dia, fui à cidade de Waldshut acompanhado por dois jovens guardas-florestais, que ainda vivem. Era noite, e nós, cansados da caminhada, entramos numa estalagem, denominada a "Vinha". Ceamos numa mesa com muitas pessoas, que começaram a divertir-se com as peculiaridades e credulidade dos suíços em relação à sua crença no memerismo, no sistema fisiognômico de Lavater, e coisas análogas. Um dos meus companheiros, cujo orgulho nacional se sentiu ferido por esta troça, pediu-me que respondesse qualquer coisa, sobretudo a um rapaz novo, com ares de importância, que estava sentado a nossa frente, e era dos que troçavam mais descontroladamente."

"Calhou que os acontecimentos da vida desse indivíduo acabavam de me passar pelo espírito. Dirigindo-me a ele, perguntei-lhe se me responderia francamente se eu lhe narrasse os mais secretos incidentes da sua vida, sendo ele, aliás, tão pouco meu conhecido como eu dele. Isso seria, acrescentei, qualquer coisa mais curiosa até do que a habilidade fisiognomística de Lavater. Prometeu-me que, se eu dissesse a verdade, ele o declararia francamente. Narrei-lhe então os acontecimentos que a minha visão de sonho me revelara, e toda a assembleia ficou sabendo a história da vida do jovem comerciante, dos seus anos de colégio, das suas pândegas, e, por fim, de um pequeno ato menos honesto praticado por ele com o cofre-forte do patrão. Descrevi-lhe o quarto deserto, com as suas paredes brancas, onde, à direita da porta escura tinha estado, em cima da mesa, o pequeno cofre-forte preto, etc. O homem, impressionadíssimo, admitiu a exatidão de cada circunstância – mesmo da última, o que eu mal esperava."

E depois de narrar este incidente, o valoroso Zschokke passa a conjeturar, se afinal todo esse maravilhoso poder, que tantas vezes ele tinha demonstrado, não poderia ter sido sempre um caso de simples coincidência!

Poucos casos de indivíduos com esta faculdade de ver o passado são encontrados nos livros sobre estes assuntos, e pode-se por isso supor que tal poder é mais raro que o de previsão. Parece-

-me, porém, que a verdade é que esse poder é, geralmente, muito menos reconhecido. Como já disse, pode muito bem acontecer que um indivíduo veja um quadro do passado sem o identificar como tal, a não ser que qualquer detalhe o leve a formular essa suspeita – como, por exemplo, uma figura de armadura, ou qualquer traje antigo. Também uma previsão pode não ser reconhecida como tal ao ser formulada; mas a realização do acontecimento previsto a trará imediatamente à memória, ao mesmo tempo em que revela sua natureza, de modo que, provavelmente, não será ignorada. É possível, portanto, que vislumbres ocasionais desses reflexos astrais dos registros *ākāshicos* sejam mais frequentes do que seríamos levados a crer pelas publicações sobre o assunto.

Capítulo 8

Clarividência no tempo: O futuro

Mesmo que, de um modo vago, nos sintamos capazes de abarcar a ideia de que todo o passado pode estar simultânea e ativamente presente numa consciência suficientemente elevada, defrontamo-nos com uma dificuldade muito maior quando tentamos conceber como é que todo o futuro também pode ser incluído nessa consciência. Se pudéssemos crer na doutrina maometana do Kismet, ou na teoria calvinística da predestinação, a concepção nada teria de difícil, mas, sabendo, como sabemos, que ambas são deformações da verdade, temos que procurar uma hipótese mais aceitável.

Talvez ainda haja indivíduos que neguem a possibilidade da previsão, mas isso prova apenas que ignoram a evidência que há sobre o assunto. O grande número de casos autenticados não deixa lugar para dúvidas quanto ao fato da previsão, mas muitos deles são de tal natureza que tornam difícil de encontrar uma explicação razoável. É evidente que o Eu possui certa dose de poder previsor, e, se os acontecimentos previstos fossem sempre de grande importância, poder-se-ia supor que um estímulo extraordinário o tinha tornado capaz, por essa vez só, de dar uma impressão nítida do que vira em sua personalidade inferior. Sem dúvida essa é a explicação para muitos dos casos em que se prevê a morte ou qualquer catástrofe gravíssima, mas há um grande número de casos conhecidos para os quais essa explicação não serve, visto que os acontecimentos previstos são muitas vezes extremamente triviais e sem importância.

Para exemplificar, citarei um caso bem conhecido de previsão, que se deu na Escócia. Um indivíduo, que não acreditava no oculto, foi avisado por um vidente escocês do próximo falecimento de um vizinho. A profecia foi dada com uma grande abundância de detalhes, incluindo uma descrição completa do enterro, com os nomes dos quatro indivíduos que pegariam nas alças do caixão e de outras pessoas que estariam presentes. O ouvinte parece ter rido da história e tê-la esquecido prontamente; a morte do tal vizinho no dia indicado relembrou-lhe, porém, a profecia, e ele decidiu fazer falhar pelo menos parte dela, tornando-se um dos que pegavam nas alças. Conseguiu arranjar as coisas como queria, mas, exatamente quando o préstito ia sair, chamaram-no à parte para qualquer assunto de somenos importância e que o atrasou por apenas um ou dois minutos. Ao voltar às pressas, viu com surpresa, que o préstito ia saindo sem ele, e que a profecia se cumpria plenamente, visto que iam carregando o caixão os quatro indivíduos que o vidente lhe indicara.

Ora, aí está um assunto trivial, que não podia ser importante para ninguém, previsto nitidamente com alguns meses de antecedência, e, conquanto um indivíduo se esforce conscientemente para alterar os fatos indicados, falha completamente em sua tentativa. Certamente isso se assemelha muito à predestinação, mesmo nos seus mínimos detalhes, e é só quando examinamos esse assunto a partir dos planos superiores que podemos achar um meio de escapar dessa teoria. Está claro que – como já disse antes a propósito de outro aspecto do assunto – uma explicação completa ainda nos escapa, e evidentemente nos escapará enquanto o nosso conhecimento não for infinitamente maior do que é hoje; o mais que podemos esperar fazer por enquanto é indicar a direção na qual uma explicação pode ser encontrada.

Não há dúvida nenhuma de que, exatamente como o que está acontecendo agora é o resultado de causas postas em ação no passado, assim o que acontecerá no futuro será consequência de causas já operantes. Mesmo aqui, neste mundo, podemos calcular que, se certas ações são praticadas, certos resultados se seguirão, mas o nosso cálculo tende a ser constantemente perturbado pela intervenção de fatores com que não podemos contar. Mas, se elevarmos a nossa consciência até o plano mental, poderemos ver muito mais longe os resultados das nossas ações.

Podemos seguir, por exemplo, o efeito de uma palavra casual, não só sobre a pessoa a quem foi dirigida, mas através dela, sobre muitas outras, à medida que se propaga em círculos cada vez maiores, até afetar todo o país; e um só vislumbre de uma visão dessas vale mais do que muitos preceitos morais para nos gravar no espírito a necessidade de um cuidado extremo com tudo quanto pensamos, dizemos ou fazemos. A partir daquele plano nós podemos não só ver integralmente o resultado de cada ação, mas também onde e de que maneira os resultados de outras ações, aparentemente sem relação com ela, a virão perturbar e modificar. Pode-se, de fato, dizer que os resultados de todas as causas atualmente operantes são claramente visíveis – como seria o futuro, se nenhuma nova causa surgisse, está patente à nossa vista.

É claro que surgem novas causas, porque a vontade humana é livre; mas, no caso de todas as pessoas comuns, o uso que farão da sua liberdade pode ser calculado de antemão com uma precisão considerável. O homem médio tem tão pouca vontade real, que é em grande parte um produto das circunstâncias; a sua ação em vidas anteriores o coloca em determinados ambientes, e a sua influência nele é a tal ponto o fator mais importante na história da sua vida que o seu futuro pode ser predito com uma certeza quase matemática. Com o homem evoluído o caso já é diferente; para ele também os principais acontecimentos da vida são organizados pelas suas ações no passado, mas o modo como ele deixará que elas o afetem, os métodos pelos quais tratará delas e talvez consiga vencê-las – esses são inteiramente seus e não podem ser previstos mesmo no plano mental, exceto como probabilidades.

Olhando assim do alto para a vida do homem, parece-nos que o seu livre-arbítrio só poderá ser exercido em certas crises na sua carreira. Ele chega a um ponto da vida onde há evidentemente diante dele dois ou três caminhos por onde seguir; tem plena liberdade de escolher o que quiser, e, conquanto alguém que conhecesse bem sua índole pudesse ter quase a certeza de qual seria a sua escolha, tal conhecimento da parte do seu amigo não é de modo algum uma força compulsória.

Mas quando ele tiver escolhido, terá de ir em frente e aceitar as consequências; tendo entrado em determinado caminho, pode, em muitos casos, ser forçado a continuar durante muito tempo antes que tenha uma oportunidade de se desviar dele. A sua situação é análoga à do maquinista de um comboio; quando chega a um entroncamento, pode entrar nesta ou naquela linha, mas, uma vez tendo entrado nela, é obrigado a seguir por ela até chegar a outro entroncamento, onde novamente uma oportunidade de escolha lhe será oferecida.

Olhando do plano mental para baixo, esses pontos de um novo caminho seriam claramente visíveis, e todos os resultados da escolha que fizéssemos estariam patentes a nossos olhos, certos de serem realizados nos seus mínimos detalhes. O único ponto que ficaria incerto seria aquele, importantíssimo, sobre qual o caminho que o indivíduo escolheria. Teríamos, na verdade, não um, mas vários futuros desenhados diante de nossos olhos, sem podermos necessariamente determinar qual deles é que se materializaria num fato consumado. Na maioria dos casos, veríamos uma das probabilidades tão superior às outras que não hesitaríamos em decidir qual o caminho que o indivíduo seguiria, mas, ainda assim, o caso que indiquei não deixa de ser teoricamente possível. Seja como for, mesmo esse conhecimento, tal qual é, tornar-nos-ia capazes de prever com segurança muita coisa; nem nos é difícil imaginar que um poder muito mais elevado que o nosso possa sempre prever para que lado a escolha se inclinaria, e por isso vaticinar sempre com uma segurança absoluta.

No plano *búdico*, porém, não é preciso um processo tão elaborado de cálculo consciente, porque (como já disse), de uma maneira que nós aqui não percebemos, o passado, o presente e o futuro existem ali simultaneamente. Apenas podemos aceitar esse fato, porque a sua causa está na faculdade correspondente a tal plano, e o *modus operandi* dela é, naturalmente, incompreensível ao cérebro físico. Mas de vez em quando encontramos uma sugestão que nos pode aproximar um pouco mais de uma vaga possibilidade de compreensão. Uma sugestão desse gênero foi dada pelo Dr. Oliver Lodge no seu discurso presidencial à Associação Britânica em Cardiff. Ele disse:

> "É uma ideia luminosa e auxiliadora essa de que o tempo não seja senão um meio relativo de ver as coisas; atravessamos os fenômenos com certa velocidade definida, e interpretamos este avanço subjetivo de uma maneira objetiva, como se os acontecimentos se passassem também

nessa ordem e exatamente com essa velocidade. Mas pode ser que isso não seja senão uma maneira de ver as coisas. Pode bem ser que os acontecimentos estejam sempre existentes, tanto os do passado como os do futuro, e que sejamos nós que constantemente passemos por eles, e não eles que aconteçam. A analogia de um indivíduo num trem é, para este caso, muito útil; se ele nunca pudesse sair do trem ou alterar a sua velocidade, naturalmente julgaria as paisagens necessariamente sucessivas, sendo incapaz de conceber a sua coexistência... Ocorre-nos, pois, a possibilidade de haver no tempo um aspecto quadridimensional, sendo, portanto, o decorrer inexorável do tempo apenas uma parte natural das nossas atuais limitações. E, se compreendermos bem a ideia de que o passado e o futuro possam realmente estar existindo agora, podemos conceber que eles tenham uma influência dominadora sobre todas as ações presentes, podendo os dois, juntos, constituir aquele "plano superior" ou totalidade das coisas que somos levados a buscar, em relação à direção da forma ou determinismo, e a ação dos seres humanos conscientemente dirigida para um fim nítido e preconcebido".

O tempo não é, realmente, de modo algum a quarta dimensão; mas considerá-lo, por enquanto, desse ponto de vista não deixa de ser útil para de algum modo podermos atingir o inatingível. Suponha-se que temos um cone de madeira apontado perpendicularmente para uma folha de papel, e que pouco a pouco o fazemos atravessar essa folha, começando pelo vértice. Um micróbio que vivesse na superfície dessa folha de papel, sem poder conceber qualquer coisa fora dessa superfície, não só nunca poderia ver o cone como um todo, mas nem sequer poderia formar conceito nenhum de tal corpo. Apenas veria o súbito aparecimento de um pequeno círculo, que pouco a pouco e misteriosamente iria crescendo até desaparecer do seu mundo tão súbita e misteriosamente como tinha chegado. Assim, o que eram realmente várias seções do cone pareceria a esse micróbio apenas fases sucessivas na vida de um círculo, e ser-lhe-ia impossível conceber a ideia de que essas fases poderiam ser vistas simultaneamente. E, contudo, é fácil para nós, vendo o fato de outra dimensão, perceber que o micróbio é vítima de uma ilusão decorrente de suas limitações, e que o cone existe como um todo durante todo o processo. A nossa própria ilusão com respeito a passado, presente e futuro talvez não seja diferente, e a visão que temos de qualquer sequência de acontecimentos do plano *búdico* corresponde a essa visão do cone como um todo. É claro que qualquer tentativa de esclarecer esta ideia nos leva a uma série de paradoxos confusos; mas o fato continua sendo verdadeiro, e virá o tempo quando isso será para nós claro como o dia.

Quando a consciência do aluno está completamente desenvolvida no plano *búdico*, a previsão perfeita é portanto possível, ainda que ele não possa trazer todo o resultado da sua visão completa e claramente para esta luz. Mesmo assim, uma grande quantidade de previsão lúcida lhe é possível sempre que ele a queira exercer; e mesmo quando ele não a estiver exercendo, vislumbres frequentes de premonição lhe aparecem na vida quotidiana, de modo que muitas vezes ele tem uma intuição instantânea de como as coisas vão acontecer antes que elas sequer esbocem esse caminho.

Em grau menor do que o desta previsão perfeita, constatamos, como nos casos anteriores, que existem todos os graus deste tipo de clarividência, desde os vagos pressentimentos ocasionais a que não se pode chamar vidência, até a dupla visão frequente e mais ou menos perfeita. A faculdade, a que se tem dado este nome, aliás, pouco claro, de "dupla visão", é muito interessante e bem compensaria um estudo mais cuidadoso e sistemático do que o que tem sido feito até hoje.

Sabemos que essa faculdade não é um dom raro entre os escoceses habitantes da região montanhosa, ainda que não se limite apenas a eles. Exemplos ocasionais da sua posse têm aparecido em quase todas as nações, mas sempre tem sido mais frequente entre montanheses e gente de vida solitária. Nós, na Inglaterra, geralmente falamos dela como sendo apanágio exclusivo da raça celta, mas a verdade é que se tem revelado em toda as partes do mundo entre povos que vivem em locais semelhantes. Diz-se, por exemplo, que é muito comum entre os camponeses da Westfália.

Por vezes a dupla visão consiste num quadro mostrando claramente qualquer acontecimento futuro; mais frequentemente, porém, o vislumbre do futuro é dado por qualquer visão simbólica. É de notar que os acontecimentos previstos são invariavelmente desagradáveis – sendo a morte o mais comum de todos; não me ocorre caso algum em que a dupla visão haja revelado qualquer coisa que não fosse triste. Ela tem um horrível simbolismo que lhe é próprio – um simbolismo de mortalhas e tochas e outros horrores fúnebres. Em alguns casos parece depender, até certo ponto, da localidade, porque se diz que os habitantes da ilha de Skye, que possuem esta faculdade, muitas vezes a perdem quando saem da ilha, ainda que seja apenas uma pequena viagem à outra costa. O dom de tal visão é por vezes hereditário numa família durante gerações, mas esta regra não é invariável, porque a dupla visão às vezes aparece esporadicamente num indivíduo pertencente a uma família livre da sua lúgubre influência.

Já citamos um exemplo em que a nítida visão de um acontecimento futuro se deu, por meio da dupla visão, com alguns meses de antecedência. Vamos citar outro, mais notável ainda, que relato exatamente como me *foi* contado por um dos que nele tomaram parte.

"Embrenhamo-nos pela floresta a dentro e havia uma hora que caminhávamos sem resultado, quando o Cameron, que por acaso estava a meu lado, de repente parou, empalideceu, e, apontando em frente, disse numa voz cheia de terror:

"Olhem! olhem! pelo amor de Deus, olhem para ali!"

"Onde? O quê? O que é?!", perguntamos todos confusamente, correndo para ele e olhando em redor, esperando encontrar um tigre, uma cobra – nem sabíamos o quê, mas por certo qualquer coisa horrorosa, visto que fora o bastante para causar ao nosso camarada, em geral tão seguro dos seus nervos, uma emoção tão visível. Mas não se via tigre nem cobra – nada senão o Cameron, lívido, de olhos esbugalhados, a apontar para qualquer coisa que nós não víamos."

"Cameron! Cameron!", disse eu, sacudindo-o pelo braço, "fala pelo amor de Deus! O que é que aconteceu?"

"Mal tinha dito isso quando ouvi um som leve, mas muito estranho, e o Cameron, deixando cair a mão com que apontava, disse numa voz tensa e trêmula: Ouviste? Ouviste? Graças a Deus que acabou! E caiu no chão sem sentidos."

"Houve uns momentos de confusão enquanto desapertávamos seu colarinho e eu lhe borrifava o rosto com a água, que felizmente trouxera comigo, e outro tentava fazer com que bebesse uns goles de aguardente; e, enquanto isso ocorria, perguntei em segredo ao indivíduo ao meu lado (um dos mais céticos entre nós, por sinal):"Você ouviu qualquer coisa, Beauchamp?"

"Sim, lá isso ouvi", respondeu; "um som curioso, muito curioso; uma espécie de estrondo ou estralejar muito longe, mas perfeitamente nítido; se não fosse inteiramente impossível, era capaz de jurar que era o som de uma descarga".

"É exatamente a impressão que eu tive", murmurei; "mas basta! Ele já está melhor".

"Num minuto ou dois, o Cameron já podia falar e começou por nos agradecer e por pedir desculpa de nos dar todo este trabalho; daí a pouco sentou-se contra uma árvore e, numa voz firme, se bem que ainda baixa, disse:
"Meus caros amigos, sinto que lhes devo uma explicação por causa do meu procedimento estranho. É uma explicação que eu preferia não dar; mas, como ela tem de

vir, tanto faz dá-la agora como depois. Sem dúvida já repararam que durante a nossa viagem vocês todos, falando de sonhos, visões, etc., riam de tudo isso, e eu evitei sempre dar qualquer opinião sobre o assunto. Agi assim, não só porque não queria acarretar sobre mim o ridículo, ou, mesmo, estabelecer discussão, mas também porque sabia perfeitamente, pela minha própria triste experiência, que o mundo a que os homens costumam chamar de sobrenatural é tão real como – talvez mais real do que – este mundo que vemos a nossa roda. Em outras palavras, eu, como tantos outros escoceses meus compatriotas, tenho o maldito dom da dupla visão – essa terrível faculdade que prevê em sonhos calamidades que breve acontecerão".

"Foi uma visão dessas que acabo de ter, e o seu grande horror comoveu-me ao ponto que viram. Vi diante de mim um cadáver – não de um indivíduo que tenha morrido de uma morte natural e sossegada, mas vítima de qualquer terrível desastre; uma massa horrível, sem forma, com uma cara inchada, esmagada, impossível de reconhecer. Vi este horrível objeto ser metido num caixão, e rezado sobre ele o serviço fúnebre. Vi o cemitério, vi o padre; e, se bem que nunca os tivesse visto antes, tenho ambos presentes agora mesmo na minha visão anterior; vi a você, a mim, ao Beauchamp, a todos nós e a muitos mais, em volta do caixão; vi os soldados erguerem as espingardas depois do fim das rezas; ouvi a saraivada – e foi então que desmaiei".

"Quando ele falou dessa saraivada, senti um arrepio e olhei para o Beauchamp; nunca me esquecerei da expressão de profundo horror que havia no rosto daquele cético".

"Isto não passa de um incidente (e de modo algum o principal) de uma extraordinária história de experiência psíquica, mas, como no momento estamos apenas tratando do exemplo de dupla visão que figura nessa história, basta dizer que, mais tarde no mesmo dia, o grupo de militares, de que falamos, encontrava o seu comandante na horrorosa condição tão nitidamente descrita pelo Sr. Cameron." A narrativa continua:

"Quando, na noite seguinte, chegamos ao nosso destino, depois que a nossa triste narrativa tinha sido devidamente registrada pelas autoridades competentes, o Cameron e eu fomos dar um pequeno passeio, para ver se a influência tranquilizadora da natureza nos tirava pelo menos parte da tristeza que nos acabrunhava. De repente ele agarrou-me no braço, e, apontando através duma pequena divisória, disse numa voz trêmula: "Olha! Lá está! Lá está o cemitério que vi ontem!" E quando, mais tarde, fomos apresentados ao capelão do posto, reparei, ainda que os meus companheiros não o fizessem, no arrepio irreprimível que percorreu o corpo do Cameron ao apertar a mão do sacerdote, e vi que tinha reconhecido o oficiante no enterro da sua visão".

Quanto à explicação oculta de tudo isso, parece-me que a visão do Sr. Cameron foi um puro caso de dupla visão e, se assim é, o fato de que os dois indivíduos que estavam mais perto dele (um com certeza – e talvez os dois – tocando-lhe mesmo) tomaram parte nessa visão, pelo menos quanto a ouvir a saraivada final, ao passo que tal não aconteceu aos que estavam mais afastados; isso indica que a intensidade com que a visão se imprimiu no vidente ocasionou vibrações no seu corpo mental que se comunicaram àquelas pessoas com quem estava em contato, como na transmissão de pensamento comum. Quem quiser ler o restante da história poderá encontrá-lo nas páginas de *Lúcifer*, vol. XX, p. 457.

Podíamos com facilidade reunir dezenas de exemplos de natureza idêntica a esse. Com respeito à variedade simbólica dessa visão, diz-se vulgarmente entre os que a possuem que se, ao encontrarem uma pessoa viva, virem uma mortalha envolvendo-a, isso é sinal seguro da sua própria morte. A data da doença que o vitimará é indicada, quer pelo ponto em que a mortalha lhe envolve o corpo, ou pela hora do dia em que se vê a visão; porque se é de manhã cedo, dizem que o indivíduo morrerá nesse mesmo dia, mas se for de tarde, que será apenas durante o ano.

Outra variante (e notável) da forma simbólica da dupla visão é aquela em que a pessoa, cuja morte por aí se prevê, surge ao vidente numa aparição sem cabeça. Um caso deste gênero é citado em *Signs before Death (Sinais antes da Morte),* como tendo acontecido na família do Dr. Ferrier, ainda que aí, se bem me lembro, a visão só ocorreu na hora da morte, ou muito perto dela.

Deixando de lado os videntes que estão regularmente de posse de certa faculdade, ainda que as manifestações dela apenas algumas vezes estejam subordinadas à sua vontade, encontramos um grande número de casos isolados de previsão em indivíduos em quem essa faculdade não é de modo algum regular e certa. Talvez a maioria destes aconteça em sonhos, se bem que haja exemplos dessas visões em vigília. Às vezes a previsão diz respeito a um acontecimento de real importância para o vidente, e assim justifica a ação do Eu em ter o trabalho de fixá-la. Em outros casos, o acontecimento é sem importância aparente, ou não tem relação alguma com o indivíduo que o vê. Às vezes é claro que a intenção do Eu (ou da entidade comunicadora, seja ela qual for) é avisar a personalidade inferior da aproximação de qualquer calamidade, quer para que essa calamidade se evite, quer (se isso não for possível) para que a dor, que causa, seja diminuída pela preparação.

O acontecimento mais vulgarmente previsto deste modo é (talvez porque assim é natural) a morte – às vezes a morte do próprio vidente, às vezes a de alguém que lhe é caro. Este gênero de previsão é tão comum na literatura sobre o assunto, e o seu fim tão evidente, que não é necessário citar exemplos dela; mas um ou dois casos em que a visão profética, mesmo que claramente *útil*, ainda assim tenha sido de um tipo menos sombrio, talvez interessem o leitor. O que segue é tirado daquele repositório do estudioso das coisas estranhas, em *Night Side of Nature,* p. 72 (*O Lado Noturno da Natureza),* da Sra. Crowe.

"Há alguns anos, o Dr. Watson, atualmente residente em Glasgow, sonhou que era chamado para ver um doente que morava a uma distância de algumas milhas do lugar onde vivia; que partiu para lá a cavalo, e que, ao atravessar uma charneca, viu, correndo para atacá-lo, um touro, a cujo assalto só escapou fugindo para um lugar inacessível ao animal, onde se demorou muito tempo até que aparecessem várias pessoas que, observando a sua situação, vieram em seu auxílio e o soltaram".

"Estava almoçando na manhã seguinte, quando veio a chamada; achando graça da curiosa coincidência (pois assim lhe pareceu), montou a cavalo e partiu. Não conhecia a estrada por onde tinha que seguir, mas daí a pouco chegava à charneca, que reconheceu, e instantes depois surgia o touro, correndo para ele furiosamente. Mas o sonho lhe tinha revelado o lugar de refúgio, para onde se dirigiu imediatamente; ali passou três a quatro horas, sitiado pelo touro, até que vieram uns camponeses que o livraram. O Dr. Watson declara que, se não fosse o seu sonho, não teria sabido em que direção correr para se salvar".

Outro caso, em que um intervalo muito maior ocorreu entre o aviso e o fato, é dado pelo Dr. F. G. Lee, em *Glimpses of the Supernatural*, vol. i, p. 240. (*Vislumbres do Sobrenatural*).

"A Sra. Hannah Green, governanta de uma família da província em Oxford, sonhou uma vez que tinha ficado sozinha em casa num domingo à noite, e que, ouvindo bater à porta principal, havia ido abri-la, encontrando um vadio mal encarado, armado de um cacete, que quis imediatamente meter-se pela casa adentro. Parece-lhe que, no sonho, ela tentou resistir e evitar a entrada do homem, mas sem conseguir, pois que, agredida por ele e caindo no chão sem sentidos, ele pôde então entrar à vontade. Nisto acordou."

"Como durante bastante tempo nada acontecesse, foi esquecendo o sonho, e, como ela própria diz, acabou por já não pensar nele. Sete anos depois, porém, esta mesma governanta ficou com duas outras criadas tomando conta de uma casa um pouco isolada em Kensington (que veio depois a ser a casa de cidade da mesma família), quando, numa noite de domingo, tendo ambas as criadas saído e estando só ela em casa, uma pancada à porta de repente a sobressaltou."

"De repente a memória do seu antigo sonho voltou-lhe com uma estranha e forte nitidez; ela sentiu agudamente a sua situação isolada. Por isso, tendo imediatamente acendido um candeeiro no átrio – e durante este tempo todo continuavam a bater à porta – tomou a precaução de ir espreitar pela janela que do patamar de cima dava sobre a porta da rua; foi grande o seu terror quando viu, em carne e osso, o indivíduo que há anos vira no seu sonho, armado com o mesmo cacete e exigindo que lhe abrissem a porta".

"Com grande presença de espírito, ela desceu à entrada principal, fechou todas as fechaduras que tinha, tornou mais seguras as janelas, tocou todas as campainhas da casa e iluminou os quartos do primeiro andar. Parece que isso tudo teve o efeito desejado, pois que o vadio desapareceu".

Evidentemente que também neste caso o sonho foi realmente útil, visto que, se o não tivesse tido, a governanta teria sem dúvida aberto a porta, como de costume, quando ouviu bater.

Não é, porém, só em sonhos que o Eu fixa na sua personalidade inferior aquilo que julga bom que ela saiba. Muitos casos desta ordem podem ser extraídos dos livros, mas, em lugar de citá-los, relatarei um caso que há algumas semanas me contou uma senhora minha conhecida – um caso que, ainda que não contenha nenhum incidente romântico, tem pelo menos a vantagem de ser novo.

Essa senhora tem duas filhas pequenas, e há pouco uma delas teve (julgava a mãe) uma grande constipação, sofrendo durante alguns dias de uma obstrução completa na parte superior do nariz. A mãe deu pouca importância a isso, julgando que breve passaria; até que um dia, de repente, viu diante de si no ar o que ela descreve como sendo um quadro de um quarto, ao centro do qual estava uma mesa em que a filhinha jazia imóvel ou morta, estando vários indivíduos debruçados sobre ela. Ela viu a cena nos seus mínimos detalhes, e especialmente reparou que a pequena tinha uma camisola de dormir branca, o que estranhou, porque todas que tinha eram cor de rosa.

A visão a impressionou bastante, e pela primeira vez, ocorreu-lhe que talvez a criança tivesse qualquer coisa mais séria do que uma constipação, e por isso levou-a ao hospital para exames. O médico que a atendeu descobriu que ela tinha um pólipo no nariz, que devia ser extraído quanto antes. Poucos dias depois, a criança foi levada ao hospital, para ser operada, e foi deitada numa cama. Quando a mãe chegou ao hospital, viu que tinha se esquecido de trazer uma camisola para a menina, de modo que as enfermeiras tiveram de arranjar uma. No dia seguinte, a criança foi operada, vestida com esta camisola branca, no quarto que a mãe tinha visto em sua visão e todos os detalhes do sonho reproduzidos com exatidão.

Em todos esses casos a previsão atingiu o resultado que visava, mas os livros estão cheios de avisos a que não se prestou atenção ou não se deu importância, e das desastrosas coisas que vieram a acontecer. Em alguns casos a informação é dada a alguém que praticamente não tem poder para intervir no assunto, como no histórico exemplo em que John Williams, gerente de uma empresa mineradora em Cornwall, previu, nos seus mínimos detalhes, oito ou nove dias antes, o assassinato do Sr. Spencer Perceval, então Chanceler das Finanças, no átrio da Casa dos Comuns. Mesmo neste caso, porém, é vagamente possível que alguma coisa pudesse ter sido feita, porque o Sr. Williams ficou tão impressionado que consultou amigos sobre se deveria ou não ir a Londres avisar o Sr. Perceval. Infelizmente, eles o dissuadiram, e o assassinato aconteceu. Não parece, contudo, muito provável que, mesmo se ele tivesse ido a Londres e contado a sua história, lhe tivessem dado grande importância, mas, em todo o caso, sempre é possível que se algumas medidas preventivas tivessem sido tomadas, o assassinato teria sido evitado.

Temos poucos elementos que nos mostrem qual ação especial nos planos superiores levou a esta curiosa visão profética. Os dois indivíduos não se conheciam, de modo que a visão não foi causada por nenhuma simpatia pessoal. Se trata-se de uma tentativa de qualquer Auxiliar para evitar o acontecimento, parece estranho que não se encontrasse uma criatura impressionável mais perto do que em Cornwall. Talvez o Sr. Williams, quando no plano astral durante o sono, de qualquer modo tenha se deparado com essa imagem do futuro, e, assustando-se com ela (o que é naturalíssimo), passou-a ao seu ser inferior, na vaga esperança de que qualquer coisa pudesse ser feita para evitá-la; mas é impossível fazer um diagnóstico acurado do caso sem examinar os registros *ākāshicos* para ver o que na verdade aconteceu.

Um caso típico de previsão absolutamente inútil é aquele que conta o Sr. Stead, no seu livro *Real Ghost Stories,* p. 83. (*Histórias Verdadeiras de Espectros*) a propósito de sua conhecida Srta. Freer, mais citada como Srta. X. Quando estava passando uns dias numa casa de campo, esta senhorita, estando perfeitamente desperta e consciente, viu uma charrete, puxada por um cavalo branco, parada à porta da casa; nela estavam dois estranhos, um dos quais desceu da charrete e ficou a brincar com um cão que por ali andava. Ela reparou que esse indivíduo usava um sobretudo e viu também, nítidos, os sinais recentes das rodas da charrete na terra. Mas, no momento, não havia ali carro nenhum; meia hora depois, porém, surgiram dois estranhos dentro de uma charrete, e a visão que essa senhorita havia tido realizou-se em todos os seus detalhes. O Sr. Stead cita, a seguir, outro caso de previsão igualmente inútil, onde sete anos se passaram entre o sonho (dessa vez tratava-se de um sonho) e sua realização.

Todas estas situações (e são apenas exemplos citados ao acaso entre muitas centenas deles) mostram que certa dose de previsão é sem dúvida possível ao Eu, e esses casos seriam, indubitavelmente, muito mais frequentes, se não fosse a excessiva densidade e falta de vibração correspondente nos instrumentos inferiores da maioria do que nós chamamos a humanidade civilizada – qualidades principalmente atribuíveis ao crasso materialismo prático da nossa época. Não me refiro a qualquer profissão de fé materialista como sendo coisa comum, mas sim ao fato de que, nas coisas práticas da vida, quase todas as pessoas são guiadas apenas por considerações de interesse material de uma forma ou de outra.

Em muitos casos, o próprio Eu pode ser um Eu pouco desenvolvido, e a sua previsão, por conseguinte, muito vaga; em outros, ele poderá ver claro, mas possuir instrumentos inferiores tão pouco impressionáveis que apenas consiga imprimir ao cérebro um vago presságio de desgraça iminente. Há, ainda, casos em que uma previsão é obra, não do Eu, mas de qualquer entidade exterior, que, por qualquer razão, sente interesse pela pessoa a quem dá esse sentimento. Na obra que citei, o Sr. Stead refere-se à certeza, que teve muitos meses antes, de que assumiria a direção da *Pall Mall Gazette* ainda que, de um ponto de vista normal, nada parecesse menos provável. Se esse pré-conhecimento foi resultado de uma impressão dada pelo seu próprio Eu ou de algum aviso amigável de qualquer entidade estranha, é impossível dizer sem que se investigue, mas o fato é que a confiança nesse pressentimento foi amplamente justificada.

Há ainda uma variedade de clarividência no tempo que não deve passar sem referência. É relativamente rara, mas há dela exemplos suficientes para que a devamos citar, ainda que, infelizmente, os detalhes dados em geral não incluam aqueles que nos seriam essenciais para que pudéssemos fazer um diagnóstico seguro. Refiro-me aos casos em que foram vistos exércitos espectrais ou rebanhos fantasmas. Em *The Night Side of Nature,* p. 462 e seguintes (*O Lado Noturno da Natureza)*, temos vários exemplos dessas visões. Ali se conta como em Havarah Park, ao pé de Ripley, vários batalhões de soldados – umas centenas, ao todo – foram vistos, por pessoas merecedoras de crédito, fazer várias manobras e, em seguida, desaparecer; e como, alguns anos antes, um exército visionário semelhante foi visto na vizinhança de Inverness por um lavrador e seu filho, ambos criaturas respeitáveis.

Neste caso, também, o número dos soldados era muito grande, e os dois espectadores não tiveram, a princípio, a menor dúvida de que se tratava de gente de carne e osso. Contaram, pelo menos, dezesseis seções duplas, e tiveram bastante tempo para observar todos os detalhes. Os que iam à frente marchavam sete a sete e eram acompanhados por muitas mulheres e crianças, que levavam latas e outros apetrechos de cozinha. Os soldados estavam fardados de vermelho, e as armas luziam ao sol. No meio deles havia um animal – uma corça ou um cavalo (não puderam ver bem o que era) – que eles fustigavam furiosamente com suas baionetas.

O mais novo dos espectadores comentou com o outro que de vez em quando as últimas filas tinham que correr para alcançar as dianteiras; e o mais velho, que tinha feito serviço militar, observou que isso sempre acontecia, recomendando-lhe que, se alguma vez viesse a assentar praça, tentasse sempre marchar nas primeiras filas. Havia só um oficial a cavalo; montava um cavalo cinzento, e usava um capacete com ornamentos dourados e uma capa azul de hússar, com largas mangas forradas de encarnado. Os dois espectadores o observaram tanto que disseram que o reconheceriam em qualquer parte. Tiveram, porém, receio de serem maltratados ou forçados a acompanhar as tropas, que concluíram deveriam ter vindo da Irlanda e desembarcado em Kyntyre. Enquanto subiam por cima de uma barreira para sair do caminho, tudo aquilo de repente desapareceu.

Um fenômeno do mesmo tipo foi visto, no princípio do século XIX, em Paderborn, na Westfália, tendo sido observado por umas trinta pessoas no mínimo; mas como, uns anos depois, uma inspeção a uns vinte mil soldados se realizou naquele mesmo lugar, concluiu-se que a aparição fora uma espécie de dupla visão – faculdade não rara naquele distrito.

Estes exércitos espectrais aparecem, porém, às vezes, onde um exército de homens normais de modo algum poderia marchar, nem antes nem depois da visão. Um dos mais curiosos relatos desse fenômeno é feito pela Srta. Harriet Martineau, na sua descrição de *The English Lakes* (*Os Lagos Ingleses*). Escreve ela:

"O Souter ou Soutra Fell é a montanha sobre a qual milhares de espectros apareceram, a intervalos, durante dez anos no século passado, apresentando o mesmo aspecto para vinte e seis testemunhas escolhidas, e para os habitantes de todas as casinhas de onde se podia ver a montanha, e isso por um período de duas horas e meia de cada vez – o espetáculo espectral acabava quando escurecia! A montanha, note-se bem, está cheia de precipícios, que tornam impossível qualquer marcha de grupos de homens; e os lados norte e oeste apresentam uma escarpa perpendicular de novecentos pés de altura.

"Nas vésperas de S. João, em 1735, um criado do lavrador Sr. Lancaster, estando a uma distância de meia milha da montanha, viu o lado oriental do seu cimo coberto de tropas, que, durante uma hora, prosseguiram na sua marcha. Vinham, em grupos distintos, de uma saliência no lado norte e desapareciam numa cavidade no píncaro. Quando o pobre homem contou a sua história foi insultado por todos, como em geral acontece aos primeiros observadores que veem qualquer coisa de anormal. Dois anos depois, também na véspera de São João, o Sr. Lancaster viu ali alguns indivíduos, aparentemente seguindo a pé os seus cavalos, como se houvessem regressado da caça. Não deu importância a isso; mas, por acaso, tornou a olhar para lá passados uns dez minutos, e viu as figuras, agora montadas e seguidas por uma massa interminável de tropa, marcharem cinco a cinco da tal saliência para a cavidade no pincaro, como antes. Toda a família viu isso, assim como as manobras da tropa, enquanto cada batalhão era mantido em ordem por um oficial a cavalo, que galopava de um lado para o outro. À medida que caía o crepúsculo, a disciplina parecia enfraquecer, e as tropas, misturando-se, prosseguiam a passo irregular, até que tudo se perdeu na escuridão. Foi agora, é claro, a vez dos Lancasters serem insultados por todos, como tinha acontecido ao seu criado; mas não tardou que viesse a sua justificativa.

"Na véspera do dia de São João do terrível ano de 1745, vinte e seis pessoas, chamadas especialmente para isso pela mesma família, viram tudo quanto eles haviam relatado, e ainda mais. Carruagens estavam, agora, misturadas com as tropas, e todo o mundo sabia muito bem que nunca carruagens tinham estado, nem podiam estar, no cimo do Souter Fell. A multidão era enorme, porque as tropas enchiam um espaço de uma milha e marchavam rapidamente até que a noite as escondeu, marchando ainda. Nada havia de vaporoso ou mal definido no aspecto destes espectros. Tão reais pareciam, que no dia seguinte alguns dos espectadores da véspera subiram à montanha para ver se lá estavam os sinais das ferraduras dos cavalos; grande foi o seu terror quando não viram sinal de pé humano ou ferradura, na erva ou na terra. As testemunhas confirmaram toda a história em depoimento sob juramento perante um juiz; e foi terrível a expectativa de toda aquela região a respeito dos próximos acontecimentos da rebelião escocesa."

"Soube-se então que mais duas pessoas tinham visto algo deste tipo no intervalo – isto é, em 1743 – mas resolveram ocultá-lo, para escapar aos insultos de que haviam sido vítimas os seus vizinhos. O Sr. Wren, de Wilton Hall, e seu criado, viram, numa tarde de verão, um homem e um cão sobre a montanha, perseguindo alguns cavalos num lugar tão íngreme que era absolutamente impossível que qualquer cavalo ali se aguentasse. A velocidade com que corriam era prodigiosa, e tão rápido foi o seu desaparecimento na extremidade sul da fenda, que o Sr. Wren e o criado subiram até lá na manhã seguinte à busca do cadáver do homem, que com certeza deveria ter morrido. De homem, cavalo, ou cão, não encontraram nem um sinal; por isso desceram e calaram-se. Quando chegaram a falar, mesmo tendo mais vinte e seis companheiros que também testemunharam, caíram em descrédito."

"Quanto à explicação", o diretor do *Lonsdale Magazine* declarou (vol. II, p. 313) "que se descobriu que na véspera de S. João de 1745, os revoltosos estiveram fazendo manobras na costa ocidental da Escócia, e os seus movimentos foram refletidos por qualquer vapor transparente análogo à Fata Morgana". Não se pode dizer que seja uma explicação muito satisfatória, mas, que saibamos, é a única que até agora apareceu. Estes fatos, porém, fizeram com que se citassem muitos outros; como a marcha espectral, do mesmo gênero, observada em Leicestershire em 1707, e a tradição da marcha de tropas sobre o Helvellyn, na véspera da batalha de Marston Moor. Outros casos são citados, em que rebanhos de carneiros espectrais têm sido vistos em certas estradas, e existem, é claro, várias histórias alemãs de cavalgadas espectrais de caçadores e de salteadores.

Nestes casos, como tantas vezes acontece na investigação de fenômenos ocultos, há várias causas possíveis, cada uma das quais bastaria para produzir as ocorrências observadas, mas, na ausência de detalhes mais completos, pouco mais se pode fazer do que lançar uma hipótese sobre as causas prováveis, que estavam em operação nesse momento.

A explicação mais comumente dada (quando toda a história não é posta de parte, por se considerar falsa) é que o que se vê é um reflexo, por miragem, do movimento de um exército real, que esteja manobrando ou marchando a uma distância considerável. Eu próprio já, por várias vezes, vi a miragem comum, e sei, portanto, algo dos seus espantosos poderes de iludir; mas parece-me que seria preciso que arranjássemos qualquer variedade nova de miragem, inteiramente diferente daquela que a ciência atual conhece, para explicar estes casos de exércitos espectrais, alguns dos quais passam a distância de alguns metros do espectador.

Em primeiro lugar, podem ser, como no caso citado que se passou na Westfália, apenas casos de previsão em grande escala – quem os arranjou, e para que fim, não é fácil de adivinhar. Podem, também, muitas vezes pertencer ao passado, e não ao futuro, e ser, de fato, reflexos de cenas dos registros *ākāshicos* – ainda que aqui, também, não se compreenda bem a razão e o processo da imagem.

Há muitos grupos de espíritos da natureza que, pelo seu grande poder, são perfeitamente capazes de produzir essas aparições, se por qualquer razão o quisessem fazê-lo *Theosophical Manual,* p. 113. (*v. Manual Teosófico*), e isso estaria perfeitamente de acordo com o prazer que eles têm em mistificar e impressionar os seres humanos. Ou talvez tudo isso seja bondosamente destinado a avisar os seus amigos de acontecimentos que sabem que vão acontecer. Parece que deve ser qualquer explicação desta ordem, a mais razoável para esclarecer a extraordinária série de fenômenos descrita pela Srta. Martineau – isto é, se os relatos, que lhe fizeram, forem dignos de crédito.

Outra possibilidade é que, em alguns casos, o que se tomou por soldados foi simplesmente um grande número de espíritos da natureza executando algumas daquelas manobras ordenadas que eles têm tanto prazer em fazer, ainda que se deva confessar que essas manobras raras vezes são do gênero que possa ser tomado por militar, a não ser por criaturas excessivamente ignorantes.

Os rebanhos de animais são provavelmente, na maioria dos casos, meros registros, mas há casos em que eles, como os "caçadores selvagens" do conto alemão, pertencem a uma classe de fenômenos inteiramente diferente, e que está de todo fora do assunto que ora tratamos. Os estudiosos do oculto devem saber que as circunstâncias que cercam qualquer cena de intenso terror ou paixão, como um horrível caso de assassinato, são susceptíveis de serem às vezes reproduzidas numa forma que precisa apenas um pequeno desenvolvimento de faculdades "psíquicas" para aparecerem; e, eventualmente, tem acontecido que vários animais participavam desses ambientes e, consequentemente, eles também são, periodicamente, reproduzidos pela ação da consciência culpada do assassino (v. Manual V, p. 83). Provavelmente, qualquer fundamentação real dessas várias histórias de cavaleiros espectrais ou grupos espectrais de caçadores deve pertencer a esta categoria. É esta também a explicação, evidentemente, para algumas das visões de exércitos espectrais, como aquela da notável reprodução da cena da batalha de Edgehill que parece ter-se dado várias vezes durante alguns meses depois da data do combate, conforme o testemunharam um juiz de paz, um sacerdote, e outras testemunhas oculares, num curioso panfleto contemporâneo intitulado *Prodigious Noises of War and Battle* (*Prodigiosos Ruídos de Guerra e de Combate*), em Edgehill, perto de Keinton, em Northamptonshire. De acordo com o panfleto, este caso foi investigado, na época, por oficiais do exército que reconheceram nitidamente algumas das figuras espectrais que viram. Isso parece, sem dúvida, ser um exemplo do terrível poder que têm as paixões violentas do homem de reproduzirem-se, de qualquer maneira, em uma espécie de materialização do seu registro.

Em alguns casos, é evidente que os rebanhos vistos não deviam passar de simples hordas de elementais artificiais de vil espécie que tomavam essa forma para se alimentarem das emanações desagradáveis de lugares especialmente horrorosos, como deveria ser o local de uma forca. Um exemplo disso é dado pelos chamados "Gyb Ghosts", ou espectros do cadafalso, descritos em *More Glimples of the World Unseen*, p. 109. (Mais Vislumbres do Mundo Invisível), como sendo repetidamente vistos sob a forma de manadas de estranhos animais disformes de aspecto suíno, correndo, escavando e debatendo-se noite após noite no lugar desse horrível monumento do crime. Mas esses exemplos pertencem mais ao assunto aparições do que ao de clarividência.

CAPÍTULO 9

Métodos de desenvolvimento

Quando um indivíduo se convence da realidade do valioso poder da clarividência, a sua primeira pergunta é geralmente: "Como eu posso, desenvolver essa faculdade, que supostamente está latente em todas as pessoas"?

Ora, o fato é que há muitos métodos pelos quais ela pode ser desenvolvida, mas apenas um que possa ser seguramente recomendado a qualquer pessoa – aquele que citaremos em último lugar. Entre as nações menos avançadas do mundo o estado de clarividência tem sido produzido de várias maneiras não recomendáveis; entre algumas das tribos não arianas da Índia, pelo uso de drogas intoxicantes ou de inalações de fumo estonteante; entre os dervixes, pelo processo de girar numa dança louca de fervor religioso até cair em vertigem e insensibilidade; entre os sequazes das abomináveis práticas do culto Vodu, por horrendos sacrifícios e condenáveis ritos de magia negra. Métodos como estes não estão felizmente em uso na nossa raça, e, contudo, mesmo entre nós, numerosos praticantes desta arte antiga adotam algum plano de auto-hipnotização, como olhar fixamente para um ponto luminoso ou repetir qualquer fórmula até que se produza um estado de semiestupefação; ao passo que outra escola pretende chegar a esses resultados pelo emprego de alguns dos sistemas indianos de domínio da respiração.

Todos estes métodos devem ser inteiramente condenados como pouco seguros para serem praticados por um indivíduo comum que não tem bem ideia do que está fazendo – que está simplesmente realizando experiências num mundo desconhecido. Mesmo o método de obter clarividência deixando-se hipnotizar por outro indivíduo, eu me afastaria decididamente; e sem dúvida esse método nunca deve ser tentado, exceto em condições de absoluta confiança e afeição entre o magnetizado e o magnetizador, que deve ter tal pureza no coração e na alma, em espírito e intenção, difícil de encontrar exceto entre os maiores santos.

As experiências em relação ao transe mesmérico são do maior interesse, visto que oferecem (entre outras vantagens) uma possibilidade de provar ao céptico a existência da clarividência, mas, exceto nas condições que mencionei – condições, admito, de quase impossível realização – eu não aconselharia a ninguém que se oferecesse para ser magnetizado.

O mesmerismo curativo (no qual, sem levar o paciente até o estado de transe, faz- se um esforço para aliviar os seus padecimentos, para curá-lo de qualquer doença, ou para aumentar-lhe a vitalidade por meio de passes magnéticos) é uma coisa inteiramente diferente; e se o mesmerizador, ainda que sem formação adequada, tem saúde e está animado de boas intenções, não é provável que aconteça algum mal ao cliente. Num caso tão extremo como o de uma intervenção cirúrgica, um indivíduo pode razoavelmente submeter-se mesmo ao transe mesmérico, mas é preciso acentuar que não é um estado com que se devam fazer experiências. De resto, a alguém que me honrasse pedindo minha opinião sobre o assunto, eu aconselharia que não tentasse qualquer investigação sobre o que para ele ainda seriam as forças ocultas da natureza, sem que primeiro tivesse lido cuidadosamente tudo que tem sido escrito sobre o assunto ou – o que é ainda melhor – sem que tivesse a guiá-lo um professor qualificado.

Mas onde, podem perguntar, existe esse professor qualificado? Não, por certo, entre aqueles que se anunciam como professores, que se oferecem por tantas libras para ensinar os mistérios sagrados das eras, ou que têm "círculos de desenvolvimento" onde é admitido qualquer candidato mediante o pagamento de um tanto por pessoa.

Muito tem sido dito neste livro sobre a necessidade de um treinamento com cuidado – das imensas vantagens do clarividente treinado sobre o que não é; mas isso apenas nos traz outra vez para o mesmo ponto – onde é que se pode ir buscar esse treinamento agora?

A resposta é que esse treinamento pode ser recebido onde sempre o foi desde o início da história do mundo – das mãos da Grande Irmandade Branca dos Adeptos, que está agora, como sempre esteve, por detrás da evolução humana, guiando-a e auxiliando-a sob o domínio das grandes leis cósmicas que para nós representam a Vontade do Eterno.

Mas como, perguntar-se-á, se pode entrar em comunicação com eles? Como o aspirante ansioso por conhecer pode transmitir-lhes o seu desejo de ser instruído?

Mais uma vez pode-se dizer: apenas pelos métodos de sempre. Não há nenhum método novo pelo qual um indivíduo possa ser habilitado sem trabalho para tornar-se aluno dessa Escola – não há estrada real para a sabedoria que deva ser adquirida nela. Hoje, como nas brumas da antiguidade, o homem que desejar chamar a atenção Deles deve entrar no caminho lento e laborioso do desenvolvimento de si próprio – deve aprender antes de tudo a dominar-se e tornar-se tudo quanto deve ser. Os degraus desse caminho não são nenhum segredo; citei-os, detalhadamente, em *Auxiliares Invisíveis*, e por isso não preciso repeti-los aqui. Porém o caminho não é fácil de trilhar, e, contudo, todos terão de segui-lo, mais cedo ou mais tarde, porque a grande lei da evolução pouco a pouco, mas irresistivelmente, leva a humanidade a seu destino.

Entre aqueles que se estão aglomerando à entrada para este caminho, os Mestres escolhem os seus alunos, e só tornando-se digno de ser instruído, um indivíduo pode conseguir o ensinamento. Sem essa qualificação, de nada servirá ser membro de qualquer Loja ou Sociedade, secreta ou não. É certo, como todos sabem, que foi a pedido de alguns destes Mestres que se fundou a nossa Sociedade Teosófica, e que das suas fileiras foram escolhidos alguns para entrar em mais íntimas relações com eles. Mas essa escolha depende da sinceridade e perseverança do candidato, não do fato de ele pertencer à Sociedade ou a qualquer grupo dentro dela.

É essa, pois, a única maneira absolutamente segura de desenvolver a clarividência: entrar com toda a nossa energia no caminho da evolução moral e mental, e num determinado estágio, esta e outras faculdades superiores espontaneamente começarão a aparecer. Há, porém, uma prática que todas as religiões aconselham – que, se for cuidadosa e reverentemente adotada, não poderá fazer mal a ninguém, e da qual muitas vezes tem saído um tipo muito puro de clarividência – é a prática da meditação.

O indivíduo deve escolher uma determinada hora todos os dias – hora em que tenha a certeza de que não o perturbarão, de preferência de dia e não de noite – e dedicar-se durante esse tempo a manter o seu espírito inteiramente livre de todos os pensamentos materiais, seja de que espécie for, e, tendo atingido isso, tratar de dirigir toda a força do seu pensamento para o ideal mais elevado que conheça. Verificará que a obtenção desse domínio do seu pensamento é imensamente mais difícil do que julga, mas logo que ele o consiga, isso não poderá deixar de ser de todas as maneiras muito benéfico, e, à medida que ele se torna mais e mais capaz de elevar e concentrar os seus pensamentos, poderá descobrir que, pouco a pouco, novos mundos vão-se abrindo diante dele.

Como exercício preliminar para conseguir plenamente tal meditação, verá que é útil exercitar-se na prática da concentração nas coisas da vida quotidiana – mesmo nas mais banais e simples. Se estiver escrevendo uma carta, não pense senão na carta enquanto não a terminar; se estiver lendo um livro, trate de conseguir que o seu pensamento nunca se desvie do sentido do que o autor escreveu. Deve aprender a dominar o seu espírito, a ser dono dele, assim como das suas paixões inferiores; deve pacientemente trabalhar para obter um domínio absoluto dos seus pensamentos, de modo que saiba sempre no que está pensando, e o porquê – de modo que possa usar o seu espírito como um esgrimista hábil usa o sabre.

E, contudo, se aqueles que tanto desejam a clarividência, pudessem tê-la temporariamente por um dia, ou mesmo por uma hora, é duvidoso que quisessem conservar o dom. É verdade que se abrem diante deles novos mundos para estudo, novos poderes para ser útil, e por esta última razão muitos de nós pensamos que vale a pena; mas não devemos esquecer que, para alguém cujo dever o chama a viver ainda no mundo, a clarividência não é inteiramente agradável. Sobre alguém, para quem se abriu essa visão, a tristeza e a desgraça, o mal e o vício do mundo caem como um fardo constante, até que, nos primeiros dias do seu conhecimento, ele muitas vezes evoca o sentido doloroso daqueles versos vibrantes de Schiller:

Esses versos talvez possam ser traduzidos assim: "Porque me lançaste assim para a cidade dos eternamente cegos, para proclamar o teu oráculo através do sentido aberto? De que serve levantar o véu quando as trevas próximas ameaçam? Só a ignorância é a vida; esta sabedoria é a morte. Leva outra vez esta triste clareza de vista; tira dos meus olhos esta luz cruel! É horrível ser o canal mortal da tua Verdade!" E mais adiante ele exclama: "Torna a dar-me a minha cegueira, a feliz escuridão dos meus sentidos; torna a levar o teu dom terrível!".

Mas isso não passa, é claro, de um sentimento que desaparece, porque a visão superior logo mostra ao aluno qualquer coisa para além da tristeza – imediatamente traz à sua alma a certeza esmagadora de que, seja o que for que as aparências pareçam indicar, todas as coisas estão sem dúvida trabalhando juntas para a vitória final do bem de todos. Ele pondera que o pecado e o sofrimento ali estão, quer ele os veja ou não, e que, afinal, quando pode vê-los, sempre está em melhor situação para poder auxiliar os outros do que se estivesse trabalhando às escuras, e assim, pouco a pouco, aprende a suportar a sua parte do pesado *karma* do mundo.

Há alguns tristes mortais que, tendo a boa sorte de possuir alguma coisa deste poder superior, são, porém, tão destituídos do verdadeiro sentimento que se deve ter em relação a ele, que o empregam para os fins mais sórdidos – chegando mesmo a anunciar-se como "clarividentes demonstrativos e comerciais"! Por certo que este uso da clarividência é uma mera prostituição e degradação dessa faculdade, mostrando que o seu infeliz possuidor de qualquer modo se apoderou dela antes que o lado moral da sua natureza estivesse suficientemente desenvolvido para poder suportar o esforço que ela impõe. Uma percepção da quantidade de mau *karma* que pode ser gerado por uma ação dessas, em pouco tempo transforma nossa aversão em compaixão pelo infeliz que perpetra essa loucura sacrílega.

Às vezes, surge a objeção de que a posse da clarividência destrói toda a intimidade e dá um poder ilimitado de explorar os segredos dos outros. Não há dúvida de que isso é verdade, mas, contudo, a ideia é ingênua e ridícula para quem conheça qualquer coisa do assunto. Tal colocação pode ter fundamento quando se tratar dos limitados poderes do "clarividente demonstrativo e comercial", mas o homem que a apresenta contra aqueles que adquiriram essa visão no decurso dos seus estudos, e que, por consequência, a possuem completamente, esquece três fatos fundamentais: primeiro, que é inteiramente inconcebível que qualquer pessoa, que tenha diante de si o vasto campo de investigação, que a clarividência lhe abre, tenha o menor desejo de espreitar os pequenos segredos de qualquer indivíduo; segundo, ainda que, por qualquer acaso impossível, o nosso clarividente tivesse essa curiosidade indecente a propósito de assuntos pessoais de qualquer pessoa, há, contudo, uma coisa chamada de honra de cavalheiro, que, tanto neste plano como naquele, o inibiria de dar largas a uma tal curiosidade; e terceiro, que, se por acaso e numa possibilidade inimaginável, surgisse qualquer tipo de interesse subalterno que ignorasse essas considerações, plenas instruções são sempre dadas a cada aluno, logo que ele começa a revelar sinais da faculdade, sobre as limitações impostas ao seu uso.

Em poucas palavras, essas restrições são que não haja curiosidade indiscreta, que não haja uso egoísta da faculdade, e que não haja demonstrações de fenômenos. Quer dizer, as mesmas considerações que guiam as ações de um indivíduo correto e digno no plano físico devem valer também nos planos astral e mental; que o aluno, de modo algum e em circunstância alguma, deve usar o poder, que o seu conhecimento maior lhe dá, para fins de vantagens mundanas, ou, de qualquer outra forma, para ganhar dinheiro; que nunca deve dar "demonstrações" – isto é, qualquer coisa que prove aos descrentes no plano físico que ele possui aquilo que lhes parecerá um poder anormal.

Com respeito a esta última condição, muitas vezes se tem perguntado. "Mas por que não? Seria tão fácil refutar e convencer o descrente, e isso seria tão bom para ele!" Estes críticos perdem de vista o fato de que, em primeiro lugar, nenhum daqueles que sabem qualquer coisa tem o mínimo desejo de refutar ou convencer descrentes, ou se importam de qualquer maneira com a atitude do descrente; e, em segundo lugar, não compreendem como é muito melhor para esse descrente que ele gradualmente obtenha uma apreciação intelectual dos fatos da natureza, do que os conheça de repente, como que com uma pancada que o abata. Mas este assunto foi tratado plenamente há muitos anos em *O Mundo Oculto,*[18] do Sr. Sinnett, e é desnecessário repetir os argumentos que ali se empregaram.

É muito difícil a alguns dos nossos amigos compreenderem que a curiosidade ociosa e as fofocas, que enchem plenamente as vidas da descerebrada maioria dos homens, não podem ocorrer na vida mais real do discípulo; e por isso às vezes perguntam-se, mesmo sem querer ver, se não pode acontecer ao clarividente descobrir casualmente algum segredo que outro indivíduo quisesse guardar,

---

[18] Editora Teosófia, Brasília, 2000. (N.E.)

exatamente como o nosso olhar pode cair eventualmente sobre uma frase numa carta de outra pessoa que esteja sobre a mesa. Está claro que isso pode acontecer; mas que importa? O homem de honra desviaria imediatamente os olhos, num caso como no outro, e seria como se não tivesse visto nada. Se quem faz estas objeções compreendesse que nenhum aluno se *importa* com a vida das outras pessoas, exceto quando lhe compete auxiliá-las, e que tem um enorme campo de trabalho próprio sob sua responsabilidade, não estaria tão espantosamente longe de compreender os fatos da vida mais ampla do clarividente instruído.

Mesmo tendo dito pouco a respeito das restrições impostas ao aluno, é óbvio que em muitos casos, ele saberá muito mais do que se sinta à vontade para dizer. Isso, evidentemente, é verdade num sentido muito mais amplo, a respeito dos grandes Mestres da Sabedoria, e é por isso que aqueles que têm o privilégio de ocasionalmente estar na Sua presença, respeitam tanto até Suas palavras mais simples, mesmo sobre temas inteiramente alheios a seus ensinamentos diretos. Porque a opinião de um Mestre, ou mesmo de um de Seus alunos superiores, sobre qualquer assunto, é a de um homem cuja possibilidade de acertar está inteiramente fora de proporção com a nossa.

Sua posição e Suas faculdades ampliadas são na realidade a herança de toda a humanidade, e, por mais longe que ainda estejamos desses grandes poderes, nem por isso é menos certo que um dia eles serão nossos. E como será diferente este velho mundo quando toda a humanidade possuir a clarividência superior! Refleti sobre a diferença que fará para a história quando todos puderem ler os registros; e para a ciência, quando todos os processos a respeito dos quais os homens hoje teorizam puderem ser vistos em operação;

para a medicina, quando o médico e o paciente puderem ambos ver, com clareza e exatidão, tudo o que está sendo feito; para a filosofia, quando já não for possível qualquer discussão quanto à sua base, porque todos poderão ter uma visão mais ampla da verdade; para o trabalho, quando todo o trabalho será uma alegria, porque cada indivíduo só trabalhará naquilo que possa fazer melhor; para a educação, quando os espíritos e os corações das crianças estiverem abertos ao professor que está tentando formar seus caráteres; para a religião, quando já não houver possibilidade de discussão sobre os seus dogmas fundamentais, visto que a verdade a respeito das situações depois da morte e da Grande Lei que rege o mundo estará aberta aos olhos de todos.

E, acima de tudo, como será mais fácil então aos homens evoluídos desse tempo auxiliarem-se uns aos outros nessas condições muito mais livres! As possibilidades que se abrirão ante os nossos olhos serão como visões gloriosas expandindo-se para todos os lados, de modo que a nossa Sétima Etapa deverá realmente ser uma verdadeira idade de ouro. Ainda bem que essas grandes faculdades não serão adquiridas por toda a humanidade, enquanto ela não tiver evoluído até um nível muito superior de moralidade, assim como de sabedoria; se assim não fosse, iríamos apenas repetir, em condições muito piores, a terrível derrocada da grande civilização da Atlântida, cujos membros não compreenderam que o aumento do poder implica no aumento da responsabilidade. E, contudo, a grande maioria de nós mesmos esteve entre esses homens; oxalá tenhamos adquirido sabedoria com esse fracasso, e que, quando as possibilidades da vida maior se abrirem novamente diante de nós, possamos, desta vez, aproveitá-las melhor.

Posfácio: Evidências da Clarividência na Química Oculta

Ricardo Lindemann[19]

Em 1908, foi oferecida ao mundo uma das maiores evidências da percepção extrassensorial (PES) dentro de uma linguagem científica através da publicação do livro *Química Oculta*[20], de autoria da Dra. Annie Besant e do Bispo C. W. Leadbeater. Assim, esses renomados clarividentes se anteciparam à descoberta de partículas subatômicas chamadas quarks em pelo menos 55 anos, como demonstra o Dr. Phillips em sua obra *Extra-Sensory Perception of Quarks*[21], publicada em 1980, uma vez que a ciência oficial só descobriu os quarks em 1963. Extraordinária, também, foi a recente descoberta, publicada na revista científica *Phisics World*, de setembro de 2003, de que o Dr. F. W. Aston, o próprio cientista que descobriu oficialmente o Meta-Neon, e ganhou o Prêmio Nobel de Química em 1922, admitiu a antecedência da descoberta de Besant e Leadbeater e até mesmo ter adotado o próprio nome deste isótopo a partir do livro *Química Oculta*, embora tivesse dificuldades de compreender o método clarividente de investigação.

Tão importante foi esta recente descoberta que a Dra. Radha Burnier, atual Presidente Internacional da Sociedade Teosófica, redigiu o artigo *Crédito à Clarividência,* traduzido a seguir, cuja leitura reco-

---
[19] Conselheiro Internacional da Sociedade Teosófica.
[20] BESANT, A. & LEADBEATER, C. W. *Occult Chemistry*. Chennai (Madras), The Theosophical Publishing House (TPH), 1994 (III Ed.).
[21] PHILLIPS, Stephen M., PhD. *Extra-Sensory Perception of Quarks*. Chennai, TPH, 1980.

mendamos, e para o qual fazemos esta introdução ao leitor, descrevendo o contexto histórico de *Química Oculta*.

O Método Clarividente de Investigação

Na cultura ocidental, as pessoas não estão acostumadas a conceber a possibilidade de uma ciência oculta, ou seja, que utilize o método científico mas se apoie em evidências independentes que cheguem a partir de percepção extrassensorial, talvez porque a maioria das pessoas não tem disposição ou capacidade para um longo treinamento que possibilite despertar e controlar esses poderes paranormais de percepção. Todavia, aos ocidentais parece muito aceitável uma ciência oficial que se baseie em conclusões matemáticas tiradas por uma minoria de cientistas – pois também aqui a maioria não apresenta disposição ou capacidade para um longo treinamento intelectual, de modo a fazer experiências com hipóteses de partículas subatômicas invisíveis em um acelerador de partículas.

Na cultura oriental, particularmente no *Raja-Yoga*, aceita-se mais facilmente a ideia de uma ciência oculta, pois ali nunca houve a separação entre religião e ciência, de modo que conhecimentos de natureza mística têm sido testados por gerações de *yogis* por meio de faculdades de percepção extrassensorial, ou *siddhis*, enumerados sistematicamente, por exemplo, nos *Yoga-Sutras*, que foram codificados por Patañjali há uns 2.600 anos atrás, em cujo sutra III-26 encontra-se: "Conhecimento do (que é) pequeno, do (que está) oculto ou distante, (obtém-se) direcionando a luz da faculdade superfísica."[22] Recomenda-se a este respeito o comentário do Dr. I. K. Taimni (catedrático de Química na Universidade de Allahabad, Índia), em *A Ciência do Yoga,* em cuja tradição este

[22] TAIMNI, I.K., PhD. *A Ciência do Yoga.* Brasília, Ed. Teosófica, 1996. p. 252.

siddhi é chamado de *animan* – a capacidade de ver o que é pequeno ou infinitesimal.

Os *Mahatmas* que inspiraram a fundação da Sociedade Teosófica (1875) eram Mestres nesta Ciência Oculta, e chegaram a afirmar naquela época (1882): "Um ou dois de nós esperávamos que o mundo houvesse avançado o suficiente intelectualmente, se não intuitivamente, para que a Doutrina Oculta pudesse ter uma aceitação intelectual e fosse possível dar um impulso para um novo ciclo de pesquisa oculta."[23]

Por isso, o terceiro objetivo da ST é "investigar as leis não explicadas da Natureza e os poderes latentes no homem", tendo ela sido pioneira no estímulo ao surgimento da parapsicologia no Ocidente.

Eram ingleses os autores de *Química Oculta – Investigação por Ampliação Clarividente da Estrutura dos Átomos da Tabela Periódica e de Alguns Compostos*, mas, tendo aceitado as condições de um longo e cuidadoso período de treinamento por esses *Mahatmas* (conforme descrito nas obras *Clarividência, Os Chakras, O Que Há Além da Morte, O Plano Astral, A Vida Interna*, de C. W. Leadbeater), apresentaram finalmente extraordinários resultados de perícia em ciência oculta ao mundo ocidental, numa linguagem adequada à ciência oficial.

Investigando o Átomo de Hidrogênio

Uma das observações principais feitas por Besant e Leadbeater foi a de que o átomo de hidrogênio, que é o mais simples dos elementos, era composto de 18 subpartículas, chamadas por eles de

---

[23] *CARTAS dos Mahatmas para A.P. Sinnett*. Brasília, Ed. Teosófica, 2001. v.1. p. 207 (carta 45).

Átomos Físicos Ultérrimos (AFUs). Conforme afirma o Sr. Leadbeater, que foi Bispo Presidente da Igreja Católica Liberal, em sua obra *A Gnose Cristã*:

"Os átomos ultérrimos são todos semelhantes, exceto que alguns são positivos e outros negativos. Um determinado número deles, organizados de uma certa maneira, forma um átomo químico de hidrogênio, e uma quantidade maior organizada de forma diferente forma um átomo de chumbo, ou prata ou ouro e assim por diante. É possível traçar uma linha de desenvolvimento distinta sem interrupção nesses átomos químicos.
"Esses átomos ultérrimos são complexos. Nós os chamamos de átomos físicos ultérrimos porque, quando são subdivididos tornam-se matéria astral." [24]

Os autores identificaram também átomos microfísicos (AMFs) que eram composições dos AFUs correspondentes aos elementos químicos da tabela periódica, classificados segundo sete formas geométricas por eles observadas. Pela comparação do número de AFUs correspondentes, eles determinaram inclusive o peso atômico de elementos e isótopos desconhecidos pela ciência da época (veja na tabela da página 374)[25] a comparação dos pesos atômicos calculados pelos autores antes da descoberta do espectrógrafo de massa e sua extraordinária semelhança com seu valor admitido atualmente pela ciência oficial). Cinco elementos foram assim identificados: Promécio - Pm ("Illenium"), Astato - At ("Elemento nº 85"), Frâncio - Fr ("Elemento nº 87"), Protoactínio - Pa ("Elemento nº 91") e Tecnécio - Tc ("Masurium"). Os nomes entre parênteses são os designados por Besant e Leadbeater em sua publicação original (1908).

---
[24] LEADBEATER, C. W. *A Gnose Cristã*. Brasília, Ed. Teosófica, 1994. p. 146-7.
[25] SRINIVASAN, M., PhD. *Introduction to 'Occult Chemistry'*. Chennai, TPH, 2002. p. 10-1.

Clarividência   163

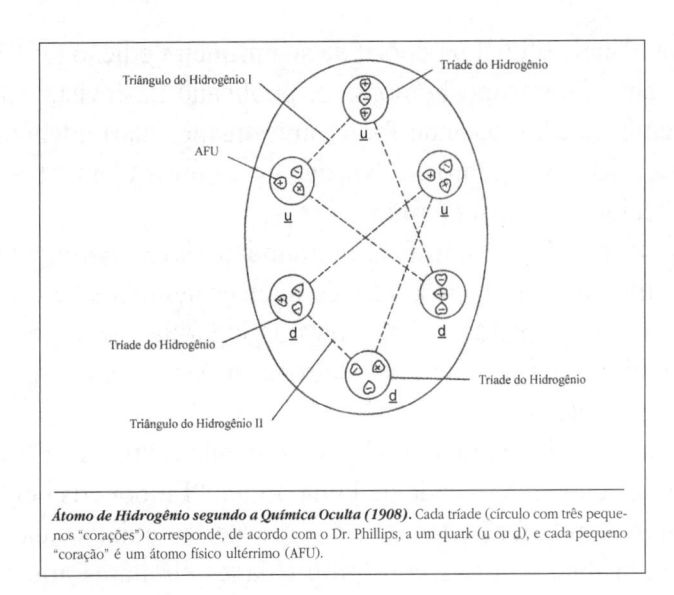

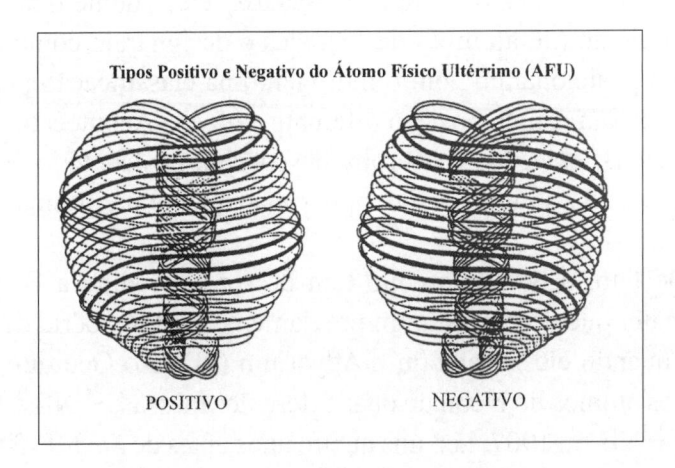

Átomo de Hidrogênio segundo a Química Oculta (1908). Cada tríade (círculo com três pequenos "corações") corresponde, de acordo com o Dr. Phillips, a um quark (u ou d), e cada pequeno "coração" é um átomo físico ultérrimo (AFU).

Tipos Positivo e Negativo do Átomo Físico Ultérrimo (AFU)

Descobrindo Isótopos antes da Ciência Oficial

Entre as descobertas mais marcantes feitas pelos autores de *Química Oculta* encontra-se a de certos isótopos ainda desconhecidos pela ciência oficial na época de sua primeira edição (1908), ou mesmo antes, no artigo homônimo, publicado na revista *Lúcifer*, de novembro de 1895, onde foram investigados clarividentemente o Hidrogênio, o Oxigênio e o Nitrogênio e outros elementos ainda desconhecidos, como o Ocultum.

A palavra isótopo significa, literalmente, *lugar igual*, e refere--se aos diferentes tipos possíveis de núcleos atômicos de um mesmo elemento, ocupando assim o mesmo lugar na tabela periódica, mas que difere pelo número de nêutrons, apesar de terem o mesmo número de prótons.

A esse respeito, comenta o Dr. H. J. Arnikar, Professor Emérito de Química da Universidade de Puna, Índia: "Embora os ocultistas não estivessem informados do conceito de isotopia, quando eles observaram uma amostra com propriedades similares àquelas do hidrogênio, mas com o dobro de massa daquele, e número de AFUs também duplo (36 ao invés de 18), eles o designaram como *adyarium* e o posicionaram com o hidrogênio na classificação periódica, sem procurar uma posição diferente para ele. Aconteceu, então, que Urey, Brickwedde e Murphy descobriram o Deutério (^{2}D), o isótopo pesado do hidrogênio, aproximadamente na mesma época (1932)...

"De fato, o devido crédito tem de ser concedido a Besant e Leadbeater que desembocaram previamente na descoberta dos isótopos, quando eles relataram o Adyarium (^{2}D) e o Ocultum (^{3}T), além dos átomos do Neon de duas diferentes massas, ^{20}NE e Meta--Neon ^{22}NE em 1907, i.e., uns quatro anos antes de *Sir* J. J. Thompson ter relatado duas parábolas para o Neon de massas 20 e 22 em seu trabalho clássico na análise do raio positivo (ou catódico) em 1911, seguido pelo trabalho de Aston e Soddy. Os ocultistas nomearam as novas variações isotópicas pelo prefixo *meta*, portanto neon e meta-neon, argônio e meta-argônio, ^{40}Ar e ^{42}Ar, criptônio e meta-criptônio ^{81}Kr e ^{83}Kr, e xenônio e meta-xenônio ^{128}Xe e ^{130}Xe."[26] O Ocultum, que foi descoberto e assim denominado por Besant e Leadbeater ainda em 1895, foi mais tarde identificado com a descoberta do trítio (^{3}T) por Rutherford, somente em 1934!

Percepção Extrassensorial de Quarks

Com este título foi publicado, em 1980, pelo Dr. Stephen Phillips[27], um físico teórico da Universidade de Cambridge, na Inglaterra, o livro que, por assim dizer, reconciliou as investigações clarividentes de Besant e Leadbeater com a descoberta científica dos quarks, em 1963. Os quarks são partículas que constituem os prótons e os nêutrons dos núcleos atômicos. Dos seis tipos de quarks, somente dois estão envolvidos na constituição de átomos estáveis e matéria normal, conhecidos como quark *up* (u-quark; com carga + 2/3 *e*) e quark *down* (d-quark; com carga -1/3 *e*).

Sobre este tema comenta o Dr. M. Srinivasan, Diretor do Grupo de Física do Bhabha Atomic Research Centre, Mumbai, Índia: "Quando Phillips viu o diagrama de Besant e Leadbeater sobre o átomo de hidrogênio, ele ficou incrivelmente surpreso ao compreender que estes clarividentes tinham identificado a estrutura do quark, e mesmo do 'subquark' do núcleo (atômico) tão antecipadamente, em 1895! O conceito de um 'subquark' ainda não foi aceito pela física moderna mesmo hoje, embora tenha sido postulado por Stephen Phillips e outros poucos teóricos em publicações científicas. (...) Phillips demonstrou em seus livros que o desencontro entre a *Química Oculta* e a física moderna pode ser resolvido se

---

[26] ARNIKAR, H.J., PhD. *Essentials of Occult Chemistry and Modern Science*. Chennai, TPH, 2000. p. 70-1.
[27] PHILLIPS, *Op. Cit.* nota (3).

as duas hipóteses seguintes forem feitas enquanto se interpreta e analisa as descobertas de Besant e Leadbeater:

Hipótese nº 1 – O AFU é um subquark. Por conveniência nós denotaremos o AFU positivo e negativo pelos símbolos X e Y, respectivamente. Phillips criou a hipótese de que o subquark positivo tenha a carga de +5/9 e, enquanto o subquark negativo tenha a carga -4/9 e. Por conseguinte, os quarks 'u' e 'd' consistem de três subquarks, cada um como segue: u = (X, X, Y) e d = (X, Y, Y). [u = +5/9 +5/9 -4/9 = +2/3; d = +5/9 -4/9 -4/9 = -1/3 (c.q.d.)]

Hipótese nº 2 – O AMF dos elementos observados pelos clarividentes não são os núcleos dos elementos como existem na Natureza, mas antes são sistemas quase-nucleares com matéria nuclear formada de quarks e subquarks, a partir de dois núcleos de elementos quando submetidos à visão psicocinética. Essa hipótese foi chamada de 'hipótese duplicante'. Físicos avaliarão que tal hipótese é consistente com o Princípio de Incerteza de Heisenberg, que essencialmente afirma que o próprio ato da observação de qualquer sistema atômico perturbá-lo-ia e alteraria o seu estado. Essa sugestão vital para a verdadeira natureza do AFU foi obtida por Phillips comparando cuidadosamente a versão micro-psi do átomo de hidrogênio, que é o menor e mais simples dos átomos, com o modelo de um próton, que os físicos conhecem como sinônimo de um núcleo do átomo de hidrogênio."[28]

Tal hipótese é plenamente compatível com a afirmação de Besant e Leadbeater de que: "O átomo todo gira e vibra, e tem de ser firmado (pelo uso da 'força de vontade') antes que uma observação exata seja possível."[29]

---

[28] SRINIVASAN, Op. Cit., p. 13-6.
[29] Ibidem, p. 18.

Nº Atômico	Elemento	Símbolo	Nº de AFUs	Peso Atômico Clarividente	Peso Atômico Científico	Forma Externa
1	Hidrogênio Adyarium Occultum	H Ad Oc	18 36 54	1.00 2.00 3.00	1.00 - -	Ovoide Ovoide Ovoide
2	Hélio	He	72	4.00	3.97	Estrela
3	Lítio	Li	127	7.06	6.89	Espiga
4	Berílio	Be	164	9.11	8.94	Tetraedro
5	Boro	B	200	11.11	10.73	Cubo
6	Carbono	C	216	12.00	11.91	Octaedro
7	Nitrogênio	N	261	14.50	13.90	Ovoide
8	Oxigênio	O	290	16.11	15.87	Ovoide
9	Flúor	F	340	18.88	18.85	Espiga
10	Neon Metaneon	Ne mNe	360 402	20.00 22.33	20.02 -	Estrela Estrela
11	Sódio	Na	418	23.22	22.81	Altere

Nº Atômico	Elemento	Símbolo	Nº de AFUs	Peso Atômico Clarividente	Peso Atômico Científico	Forma Externa
80	Mercúrio A Mercúrio B	Hg -	3576 3600	198.66 200.00	199.1 -	Tetraedro Tetraedro
81	Tálio	Tl	3678	204.33	202.8	Cubo
82	Chumbo	Pb	3727	207.06	205.6	Octaedro
83	Bismuto	Bi	3753	208.50	207.6	Cubo
84	Polônio	Po	3789	210.50	208.3	Tetraedro
85	Astato	At	3978	221.00	208.3	Altere
86	Radônio Metarradônio	Rn -	3990 4032	221.66 224.00	220.2 -	Estrela Estrela
87	Frâncio	Fr	4006	222.55	221.2	Espiga
88	Rádio	Ra	4087	227.06	224.3	Tetraedro
89	Actínio	Ac	4140	230.00	225.2	Cubo
90	Tório	Th	4187	232.61	230.3	Octaedro
91	Protoactínio	Pa	4227	234.83	229.2	Cubo
92	Urânio	U	4267	237.06	236.0	Tetraedro

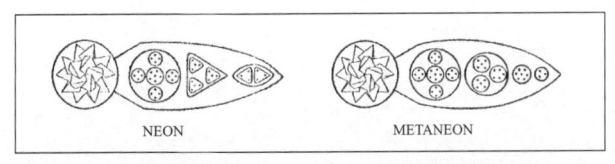

NEON   METANEON

Diferença entre as Ciências Oculta e Oficial

Ninguém melhor que a Dra. Annie Besant para nos deixar sua conclusão a respeito desta questão: "Mas qual a diferença entre os métodos? Nenhuma diferença na observação, nenhuma diferença no esforço, nenhuma diferença no raciocínio sobre a observação feita. Uma diferença de aparelhos – eis tudo. O homem de ciência faz os seus aparelhos de vidro, ou metal, ou líquidos corados, ou outras coisas do mesmo gênero. Nós (os ocultistas) arranjamos os nossos aparelhos desenvolvendo em nós um sentido que está em evolução natural, e nós desenvolvêmo-lo um pouco mais rapidamente do que a Natureza o pode fazer sem auxílio."[30]

---

[30] BESANT, Annie. *Os Ideais da Teosofia*. Brasília, Ed. Teosófica, 2001. p. 75.

Apêndice: Crédito à Clarividência[31]

RadhaBurnier[32]

Quando, em 1908, publicou-se a obra *Química Oculta*, de Annie Besant e C.W Leadbeater, pela primeira vez, foi aclamada nos círculos teosóficos como uma notável obra de investigação clarividente. O Ex-Presidente C. Jinaradasa esteve intimamente associado a esse trabalho, desde as primeiras investigações, de 1895 até 1933. Nesse período, foram publicados na revista *The Theosophist* artigos sobre esse assunto. Elisabeth Preston, cientista e membro da ST, veio especialmente a Adyar para auxiliar o irmão Jinarajadasa a preparar a terceira e última edição dessa obra.

Com a passagem do tempo tornou-se moda, pelo menos em alguns círculos, denegrir as pesquisas clarividentes de Besant e Leadbeater, que nunca pretenderam ser infalíveis, nem negaram a possibilidade de erro em suas observações. Eles descreviam o que viam pelo que parecia significativo. Diz-se que C.W Leadbeater foi especialmente treinado em clarividência por pessoas espiritualmente evoluídas. Helena Blavatsky menciona, em seu livro *A Chave para a Teosofia* (Editora Teosófica, 1991), que viria "um novo portador da tocha da Verdade", e sugeriu que, se os membros da Sociedade Teosófica trabalhassem de maneira correta, o terreno estaria

---

[31] BURNIER, Radha.Credence for Clairvoyance.*The Theosophist*, Chennai, India, *125* (7), p. 243-5, Apr.2004.[ISSN: 0972-1851]Tradução: Izar G. Tauceda. Revisão Técnica: Ricardo Lindemann.(N.E.)
[32] Presidente Internacional da Sociedade Teosófica em Adyar, Chennai, Índia. (N.E.)

preparado para a mensagem do Instrutor. Alguns acreditavam que o treinamento de Leadbeater tinha a especial finalidade de capacitá--lo a identificar o veículo para o novo ensinamento. Annie Besant afirmou que não usava seus *siddhis* (poderes psíquicos) quando se envolveu no trabalho de libertação política da Índia.

Naturalmente, os cientistas seguem seus próprios métodos rigorosos de investigação. O resultado da investigação clarividente sempre esteve fora de seu campo de interesse, carecendo, para os cientistas, de credibilidade em qualquer sentido. Apenas muito recentemente um novo aspecto foi considerado pelo Dr. StephenPhillips, que viu a conexão das últimas descobertas científicas com os *insights* clarividentes de *Química Oculta*. Seus livros *ESPof Quarks*(1980) e *Evidenceof a Yogic Siddhi*(1996) foram publicados pela TPH, em Adyar, seguidos por *Essentials of Occult Chemistry and Modern Science*(2000), de H. J. Arnikar, professor emérito de Química da Universidade de Poona, Índia.

Em setembro de 2003 a revista *Physics World* publicou um artigo de Jeff Hughes (do Centro para a História da Ciência, Tecnologia e Medicina da Universidade de Manchester) intitulado *Ocultismo e o Átomo: a Curiosa História dos Isótopos*.[33] Nele, o autor relata como F. W. Aston, que ganhou o Prêmio Nobel de Química em 1922, acatou sugestões da primeira edição de *Química Oculta*, de Besant e Leadbeater. Ele adotou até mesmo o nome metaneon, usado na obra para denominar o isótopo do neon.

Hughes relata: "A história de Aston, os metaelementos e a Teosofia me foram revelados quando eu examinava uma grande caixa cinzenta com os artigos de Aston na Biblioteca da Universidade de

---

[33] HUGHES, Jeff. Occultism and the atom: the curious story of isotopes. *Physics World*, Bristol, UK, pp. 31-35, Sep. 2003. [ISSN: 0953-8585] (N.E.)

Cambridge, ao fazer minha pesquisa sobre história da física nuclear (...). Esquecido entre esse material estava um artigo datilografado, em 15 páginas, intitulado *A Homogeneidade do Neon Atmosférico*(...). Na última página do artigo, após os agradecimentos usuais, aparecia uma curiosa *Nota sobre o nome metaneon*, na qual Aston revela a fonte desse nome. Inicialmente, fiquei até surpreso pelo fato dele estar familiarizado com a *Química Oculta* de Besant e Leadbeater; curioso, então decidi verificar a conexão teosófica." (HUGHES, 2003: p. 34.)

Hugles vai além, e fornece detalhes sobre como Aston, numa conferência para a Associação Britânica sobre os pesos atômicos do neon e do metaneon (em Birminghan, em 1913) referiu-se à publicação de Besant e Leadbeater de 1908. Aston escreveu: "Por métodos teosóficos totalmente incompreensíveis para o mero estudante de física, (os autores) declaram ter determinado o peso atômico de todos os elementos conhecidos e de diversos elementos desconhecidos na época. Entre esses últimos aparece um ao qual atribuem um peso atômico de 22,33(H=1), e que denominaram metaneon. Como este nome parece adequado, tanto quanto qualquer outro, para um novo gás sobre cujas propriedades pouco se sabe, eu o usei nesse artigo." (HUGHES, 2003: pp. 32-3)

Hughes ressalta que, na época, diversos físicos notáveis (entre eles Lord Rayleigh, Oliver Lodge e J. J. Thompson) eram membros da Sociedade para Pesquisas Psíquicas (Society for Psychical Research) e se interessavam por fenômenos paranormais. No contexto da época, talvez Aston sentisse que podia mencionar, em seu discurso para a Associação Britânica, as assombrosas afirmações sobre isótopos de gases raros da *Química Oculta*: metaneon, meta--argônio, metacriptônio e outros.

Contudo, como relata Hughes (cujo livro sobre os primeiros tempos na história dos isótopos deve ser publicado pela Routledge no próximo ano), em sua Palestra Nobel e em seu influente Manual de 1922, chamado *Isótopos,* Aston "reconstruiu a história de seu próprio trabalho para fazer com que as ligações entre um neon-22 e os isótopos parecessem diretas. (...) Todas as referências à *Química Oculta* foram eliminadas. Essa história reconstruída foi rapidamente aceita como a história convencional." (HUGHES, 2003: p. 35)

Jinarajadasa escreveu a Aston para ressaltar que Besant e Leadbeater tinham descobertos os isótopos antes dele, mas Aston respondeu que não estava interessando em Teosofia. Tanto a carta de Jinarajadasa quanto a resposta de Aston foram publicadas em 1946 pela *Theosophical Publishing House* (TPH), em Adyar, em um panfleto intitulado *Investigações em Química Oculta.* Tudo parece indicar que C.Jinarajadasa não conhecia as referências originais de Aston, agora trazidas à luz por Jeff Hughes, onde Aston admitia conhecer o trabalho dos dois teósofos.

Como podemos ver, até mesmo a história da Ciência é reformulada, de tempos em tempos, em razão de contextos ou conveniências. O crédito pelo ressurgimento do conhecimento teosófico na história dos isótopos deve-se ao físico britânico Stephen Phillips. Será interessante ver, em 2005, as reações que surgirão após a Routledge publicar o livro de Jeff Hughes sobre a história dos isótopos[34].

---

[34] Cfe. HUGHES, 2003: p. 35. (N.E.)

Editora Teosófica
Livros Para Viver Melhor

Esta obra estuda detalhadamente os sonhos que desde tempos imemoriais foram um meio natural de acesso aos níveis mais profundos da consciência humana. Experimentos foram realizados indicando que, na maioria das vezes, a lembrança de nossos sonhos é caótica e incoerente, o que caracteriza o sonho confuso. Além desse, porém, embora progressivamente mais raros são também classificados pelo autor o sonho nítido e coerente, o sonho simbólico, o sonho profético, bem como outros estados de consciência que não podem ser propriamente classificados como sonhos.

C.W. Leadbeater, com seu estilo didático e acessível, torna muito atraente toda essa investigação dos sonhos, pois tinha livre acesso a todos esses estados de consciência, uma vez que foi um dos maiores clarividentes do século XX.

Fica, assim, o leitor convidado a participar dessa investigação dentro de si mesmo, por meio desta obra que estuda o mecanismo do sono e do sonho, seus fenômenos de dramatização, previsão e seus diversos simbolismos.

Editora Teosófica
Livros Para Viver Melhor

Através do Portal da Morte

"Uma mensagem inspiradora àqueles que perderam entes queridos e a todos que procuram compreender os mistérios da vida e da morte."

Geoffrey Hodson

Este livro foi escrito para inspirar e levar consolo àqueles que perderam entes queridos. Tendo por base os ensinamentos teosóficos, ele lança luz sobre os mistérios da vida e da morte.

Geoffrey Hodson explica que a Alma Espiritual é imortal, que somente o corpo falece. Os que partiram continuam a existir em sua natureza essencial. As lições aprendidas, os ideais, a capacidade de amar, o caráter e os laços afetivos não são destruídos pela morte.

Os ensinamentos aqui apresentados estão fundamentados em pesquisas conduzidas cientificamente ao longo de muitos séculos por sucesivas gerações de experientes videntes, tendo seus resultados sido cotejados e conferidos por fontes independentes.

Maiores informações sobre Teosofia e o Caminho Espiritual podem ser obtidas escrevendo para a **Sociedade Teosófica no Brasil** no seguinte endereço: SGAS - Quadra 603, Conj. E, s/nº, CEP 70.200-630 Brasília, DF. O telefone é (61) 3226-0662. Também podem ser feitos contatos pelo e-mail: st@sociedadeteosofica.org.br ou no site: www.sociedadeteosofica.org.br

gráfika
papel&cores

(61) 3344-3101
papelecores@gmail.com